S0-BDS-025

MARK FINLEY

ESPERANÇA
ALÉM DA CRISE

A CERTEZA DE UMA
VIDA MELHOR

Tradução
Cecília Eller Nascimento

Casa Publicadora Brasileira
Tatuí, SP
2021

Título original em inglês:
HOPE FOR TROUBLED TIMES

Copyright© da edição em inglês: General Conference of Seventh-day Adventists, Silver Spring, MD (USA).
Direitos internacionais reservados.

Direitos de tradução e publicação em
língua portuguesa reservados à
CASA PUBLICADORA BRASILEIRA
Rodovia SP 127 – km 106
Caixa Postal 34 – 18270-000 – Tatuí, SP
Tel.: (15) 3205-8800 – Fax: (15) 3205-8900
Atendimento ao cliente: (15) 3205-8888
www.cpb.com.br

1ª edição
22ª impressão
2021

Coordenação Editorial: Diogo Cavalcanti
Editoração: Vinícius Mendes, Diogo Cavalcanti e Guilherme Silva
Revisão: Adriana Seratto e Luciana Gruber
Editor de Arte: Thiago Lobo
Projeto Gráfico: Alexandre Rocha
Capa: Renato Gomes
Imagem da Capa: Gajus | Adobe Stock

IMPRESSO NO BRASIL / *Printed in Brazil*

Dados Internacionais de Catalogação na Publicação (CIP)
(Câmara Brasileira do Livro, SP, Brasil)

Finley, Mark
    Esperança além da crise : a certeza de uma vida
melhor / Mark Finley ; tradução Cecília Eller
Nascimento. – Tatuí, SP : Casa Publicadora
Brasileira, 2021.

    Título original: Hope for troubled times
    ISBN 978-65-86391-07-7

    1. Adventistas do Sétimo Dia - Sermões
2. Esperança 3. Profecias I. Título.

20-36494   CDD–252.3

Índices para catálogo sistemático:

1. Sermões : Adventistas do Sétimo Dia :
        Cristianismo 252.3

Maria Alice Ferreira - Bibliotecária - CRB-8/7964

Os textos bíblicos citados neste livro foram extraídos da versão Nova Almeida Atualizada, salvo outra indicação.

  Todos os direitos reservados. Proibida a reprodução total ou parcial,
por quaisquer meios, sejam impressos, eletrônicos, fotográficos ou
sonoros, entre outros, *sem prévia autorização por escrito* da editora.

Tipologia: Warnock Pro Regular, 9,6/12,3 – 19228/43086

Sumário

Introdução

Enquanto escrevo este livro, o mundo passa por uma pandemia devastadora. Embora alguns países tenham sido atingidos com muito mais intensidade do que outros, todo o planeta foi impactado. Milhões foram afetados. Centenas de milhares morreram. A economia global foi gravemente perturbada, e muita gente está sofrendo em consequência disso. Em certo sentido, a Covid-19 impactou todos nós, mas o coronavírus não é a única tragédia que nosso mundo enfrenta no século 21. Existe uma série de desafios significativos que encaramos pessoalmente e como comunidade global.

O desemprego, a pobreza, desastres naturais, doenças cardíacas, o aumento da criminalidade, o crescimento da violência, guerras e fome afetam milhões. Essas condições mundiais nos levam a fazer uma série de perguntas: Onde está Deus em meio a tudo isso? Ele é responsável pelas catástrofes em nosso mundo? Vivemos no tempo do fim? Esses eventos culminantes foram preditos pelas profecias? Como ter uma vida cheia de alegria e propósito diante de tudo que está acontecendo no planeta? A Bíblia apresenta respostas para essas e muitas outras perguntas. Neste livro, analisaremos as respostas de Deus para nossas perguntas mais profundas.

A obra que você tem em mãos é sobre esperança para hoje, amanhã e eternamente. Você encontrará respostas que satisfarão sua mente e encherão seu coração de paz e alegria. Escrevi este livro para pessoas como você. Cada página o animará em sua jornada na vida. Descubra um Deus que o ama mais do que você jamais imaginou. Ele tem um plano extraordinário para este mundo. Você se empolgará com a bondade do Senhor e encontrará uma nova sensação de segurança e esperança. Então, continue a leitura e descubra o plano divino para nosso planeta.

Mark Finley

1

Pandemias, pestes e profecias

Nosso mundo tem passado por uma crise de proporções pandêmicas. Como um raio, um vírus ágil assolou um país após o outro. O coronavírus mudou a vida como a conhecíamos. A Covid-19 é causada por uma cepa nova desse vírus. Enquanto escrevo este livro, os pesquisadores estão em uma corrida contra o tempo para desenvolver uma vacina cientificamente testada e aprovada para combater essa doença altamente contagiosa.

Durante o auge da pandemia, fronteiras internacionais se fecharam. As escolas suspenderam as aulas. As empresas orientaram os funcionários a trabalhar em regime de *home office*. Os restaurantes deixaram de abrir. Cinemas, parques de diversões e outros locais de entretenimento também fecharam as portas. Eventos esportivos e grandes convenções foram cancelados.

A população foi instruída a evitar aglomerações. O "distanciamento social" se tornou o assunto predominante dos noticiários. Governos estaduais e municipais colocaram cidades inteiras em confinamento domiciliar. Em alguns países, o sistema de saúde ficou saturado. O índice de desemprego cresceu vertiginosamente.

Notícias sobre a pandemia dominaram os noticiários por meses. Canais jornalísticos internacionais e locais cobriram o problema dia e noite, sem parar. Os meios de comunicação apresentavam a questão todos os dias. Recebíamos atualizações dos responsáveis pela saúde pública praticamente a cada minuto.

O mundo inteiro pareceu consumido por esse minúsculo vírus de fácil transmissão. Diante disso, ficamos com mais perguntas do que respostas. Muitos desses questionamentos giram em torno de temas religiosos. No fundo do coração, buscamos respostas.

Respostas para perguntas difíceis

Onde está Deus em meio a tudo isso? A Covid-19 é um juízo divino ou apenas um vírus aleatório que fugiu ao nosso controle? O que a Bíblia tem a dizer sobre pestes ou pandemias? Trata-se de um sinal do fim do mundo? Existe esperança para nossa vida pessoal, familiar e para o mundo? Preciso lhe garantir que Deus não é o autor da doença. Ele não é o originador do sofrimento nem das enfermidades. O primeiro capítulo da Bíblia diz que, ao final da semana da criação, Deus olhou para o mundo e disse que era "muito bom" (Gênesis 1:31). Deus criou um mundo perfeito, sem nenhum traço de enfermidade. Não existiam vírus nem bactérias mortais. Não havia sofrimento nem morte. As doenças não faziam parte do plano divino original. O projeto de Deus era que a Terra fosse povoada por pessoas felizes, saudáveis e santas.

O pecado é um intruso em nosso mundo. Ele invadiu nosso planeta por meio de um ser angelical chamado Lúcifer. Esse anjo foi criado perfeito por Deus. Porém, ele se rebelou contra os princípios do governo divino no Céu há milênios. Expulso de lá, estabeleceu-se em nosso mundo e, a partir de então, tem causado todo tipo de sofrimento e dor por aqui.

Os seres criados por Deus foram dotados com liberdade de escolha. Sem essa característica é impossível amar. Se o amor não existisse, a vida teria pouco ou nenhum significado. Felicidade genuína é resultado do amor. Porém, como foi criado livre, Lúcifer escolheu não amar. Preferiu o caminho do egoísmo e do mal.

Esse mesmo anjo caído enganou Adão e Eva, assim como havia ludibriado um terço dos anjos do Céu. A Bíblia chama o diabo de "mentiroso e pai da mentira" (João 8:44, ARA). O último livro da Bíblia, o Apocalipse, o descreve como aquele "que engana o mundo todo" (Apocalipse 12:9, NVI).

A primeira mentira de Satanás foi dizer que Deus não queria realmente dizer o que disse. Eva poderia comer da árvore do conhecimento do bem e do mal, pois ela certamente não morreria, contrariando assim o que Deus havia declarado (Gênesis 3:4).

De acordo com a mentira da serpente, Eva poderia transgredir os mandamentos de Deus sem qualquer consequência grave. A primeira mulher da humanidade pensou que, se comesse da árvore, acessaria uma esfera mais elevada de existência. Satanás alegou que Deus era arbitrário, um tirano autoritário que não pensava no melhor para Suas criaturas.

Doenças e morte
Quando Adão e Eva pecaram, abriram uma porta para doenças, sofrimento e enfermidades. Deus não quis que fosse assim. Em essência, o pecado é a separação de Deus (leia Isaías 59:1, 2). Afastados Dele, ficamos desconectados da fonte suprema de vida e saúde. Vivemos em um mundo em rebelião contra Deus. Cristo veio para cumprir as demandas da lei transgredida, para nos restaurar de volta à imagem de Deus e revelar como Ele é. Em Lucas 19:10, a Bíblia

diz que "o Filho do Homem veio buscar e salvar o perdido". Uma vez que "o salário do pecado é a morte" e que "todos pecaram e carecem da glória de Deus", Cristo veio resgatar este mundo perdido (Romanos 6:23; 3:23, ARA).

Em Sua vida e morte, Jesus revelou o quanto o Pai Se importa conosco. Cada milagre que Ele realizou fala de um Deus que Se importa com nosso sofrimento. Toda vez que Cristo abriu olhos cegos, destravou ouvidos surdos, curou mãos ressequidas e ressuscitou mortos, demonstrou o quanto nos ama genuinamente. Ao morrer na cruz, desbancou para sempre a mentira de Satanás e revelou que preferia assumir a culpa, a vergonha e a condenação do pecado sobre Si a perder um de nós (2 Coríntios 5:21; Gálatas 3:13).

Jesus também veio para ser um exemplo e demonstrar como é uma vida abundante. Ele revelou que não é Deus quem está por trás das doenças. Ele não causa o sofrimento nem as enfermidades. Ele é o Deus da vida plena! No grande conflito entre o bem e o mal, um anjo rebelde desafiou Deus e está lutando contra Ele pelo controle deste planeta.

Doença, sofrimento, dor emocional e enfermidade são consequências dessa controvérsia. Satanás usa doenças, sofrimento e enfermidade para desacreditar Deus. Engana milhões, levando-os a pensar que o Senhor não deseja o melhor para nós. Contudo, neste mundo de sofrimento, Deus revela Seu amor e cuidado. Ele diz: "*E eis que estou convosco todos os dias até à consumação do século*" (Mateus 28:19, 20, ARA, itálico acrescentado).

Pestes

A Bíblia usa a palavra "peste" ou "pestes" cerca de 50 vezes. Peste é uma epidemia súbita ou fatal que impacta uma comunidade inteira. Essa expressão é usada no mínimo de três maneiras nas Escrituras. Às vezes, é empregada no livro sagrado para descrever uma doença que assola porque estamos em um mundo de pecado. Pense, por exemplo, na história de Jó.

Jó sofreu terrivelmente. Você acha que foram os pecados de Jó que causaram a enfermidade que afligiu seu corpo da cabeça aos pés? A resposta é não. Você crê que Jó foi o responsável pela destruição de sua família e seus bens? Certamente não! Satanás era a grande mente por trás de todo o sofrimento e doença do patriarca.

Ao relatar a experiência de Jó, as Escrituras declaram: "Então Satanás saiu da presença do Senhor e feriu Jó com tumores malignos, desde a planta do pé até o alto da cabeça" (Jó 2:7). Por que Deus permitiu que Satanás afligisse Jó com uma praga ou peste tão terrível?

Vivemos em um mundo afastado do plano original de Deus. Nosso planeta está infestado de patógenos, vírus e germes. Pestes e pragas devastam comunidades inteiras e impactam países como um todo. Deus nem sempre intervém para impedir os ataques de Satanás, mas, ao longo de todo o tempo, Ele está conosco. Está aqui para nos fortalecer, animar e apoiar. Com frequência, é nos momentos mais difíceis da vida que buscamos a Deus com maior fervor e ansiamos mais profundamente pelo Céu.

Há um segundo sentido para a palavra "peste" na Bíblia. Às vezes, as pestes são os juízos de Deus sobre os ímpios. Há ocasiões em que os profetas do Antigo Testamento descrevem pestes como o instrumento de Deus para conduzir Seu povo rebelde ao arrependimento. Os profetas Jeremias e Ezequiel usam o termo 28 vezes em conexão com os juízos divinos. Você pode dizer que isso é meio estranho, mas pense no Egito.

As pragas sobre essa nação na antiguidade foram meros desastres naturais ou juízos de Deus para livrar Seu povo? Em amor, Deus enviou uma advertência após a outra para os egípcios. Em Sua graça, enviou repetidas mensagens para eles, a fim de evitar o desastre que viria, mas, deliberadamente, eles recusaram os convites amorosos de Deus. Assim, Seus juízos caíram sobre aquela terra. O amor fala com ternura, mas, às vezes, se comunica em tom estrondoso para chamar nossa atenção. O grande propósito de Deus em todas as nossas experiências de vida é nos conduzir para mais perto Dele.

Um terceiro uso para o termo "peste" na Bíblia se insere no contexto da retirada do poder protetor divino. Há momentos em que o Senhor retira Sua presença e permite que as consequências naturais do pecado aconteçam. Você se lembra da ocasião em que os israelitas foram picados por serpentes no deserto? Muitos morreram por causa do veneno. Deus simplesmente retirou Sua presença para permitir que a consequência das escolhas pecaminosas do povo se manifestasse. Seu propósito era que Seus filhos se arrependessem e voltassem a acatar Sua vontade.

Quando nos deparamos com pestes assolando o mundo, pode ser que Deus esteja fazendo um chamado claro para levarmos mais a sério nosso compromisso com Cristo, experimentarmos um arrependimento mais profundo e entregarmos nossa vida completamente a Ele.

João, o autor do Apocalipse, nos apresenta mais informações sobre o poder de Deus para restringir tragédias. Ao falar sobre as calamidades que sobrevirão nos últimos dias, ele declara:

> Depois disso, vi quatro anjos em pé nos quatro cantos da Terra, segurando os quatro ventos, para que nenhum vento soprasse na terra, nem sobre o mar, nem sobre árvore alguma. Vi outro anjo que subia do nascente do sol, tendo o selo do Deus vivo.

Ele gritou com voz bem forte aos quatro anjos, aqueles que tinham recebido poder para causar dano à terra e ao mar, dizendo: "Não danifiquem nem a terra, nem o mar, nem as árvores, até marcarmos a testa dos servos do nosso Deus" (Apocalipse 7:1-3).

Na linguagem profética da Bíblia, vento representa destruição. Pense na força avassaladora de um tornado, furacão ou ciclone. O Apocalipse retrata os anjos de Deus retardando a destruição que sobrevirá à Terra logo antes do retorno de Jesus. A fome, os terremotos, os incêndios e as pestes que vemos ao nosso redor são uma amostra do que virá. Os anjos estão restringindo a força total de destruição enquanto o Espírito Santo apela com poder para que pessoas de todas as partes façam uma entrega plena a Jesus.

Deus está preparando Seu povo para a crise final que logo irromperá neste mundo. Jesus apela para que firmemos um compromisso total e absoluto com Ele, nos ancoremos em Sua palavra e sejamos preenchidos por Seu amor. O objetivo amoroso Dele é que sejamos livrados do mal e tenhamos condições de nos decidir a Seu lado.

Desastres naturais

Em Seus ensinos, Jesus descreve os sinais de Seu retorno à Terra. Entre eles, o Senhor menciona pestes devastadoras. Porém, é preciso evitar dois extremos. Um deles é o fanatismo que grita: "O coronavírus chegou, então Jesus deve voltar semana que vem [ou mês que vem, ou ano que vem]." Há algumas pessoas que se alimentam de teorias fantasiosas e sensacionalistas. Amam marcação de data e coisas do tipo. Por outro lado, devemos descartar o outro extremo, igualmente perigoso. Os que estão desse lado da moeda pensam que o vírus não tem relação alguma com os sinais dos últimos dias.

Sem dúvida, não foi isso que Jesus disse. Em Mateus 24, Ele fala sobre os sinais do tempo do fim e declara: "Porque nação se levantará contra nação, e reino contra reino. Haverá fomes e terremotos em vários lugares. Porém todas essas coisas são o princípio das dores" (Mateus 24:7, 8). Jesus cita guerras, rumores de guerras, a ascensão de nações e reino lutando contra reino como parte do cenário do tempo do fim.

A esses acontecimentos, Ele acrescenta desastres naturais, como terremotos, fomes e *pestes*, dentre os mais de 20 sinais expostos em Mateus 24. O evangelho de Lucas também fala sobre esses sinais do tempo do fim. No capítulo 21, Cristo afirma com toda clareza: "Haverá grandes terremotos, *epidemias* e fome em vários lugares, coisas espantosas e também grandes sinais vindos do céu" (Lucas 21:11, itálico acrescentado). Jesus predisse que haveria sinais dramáticos no mundo que prenunciariam Seu retorno.

Milhões de pessoas passam fome todos os anos. A Organização das Nações Unidas para Alimentação e Agricultura estima que quase 870 milhões de pessoas sofrem de subnutrição crônica. Isso representa um a cada oito habitantes do planeta, ou cerca de 13% da população mundial. Todos os dias, mais de 20 mil indivíduos morrem por causa de consequências da subnutrição. São quase 7,5 milhões de pessoas por ano.[1]

Jesus disse que haveria fomes, terremotos e pestes. O número de terremotos de 3.0 ou mais pontos na Escala Richter tem aumentado vertiginosamente a cada ano.[2] Enquanto isso, *tsunamis*, deslizamentos de terra, avalanches, tornados e erupções vulcânicas quebram todos os recordes anteriores de intensidade e efeitos desastrosos. Os prejuízos causados por danos climáticos todos os anos superam 24 bilhões de dólares.[3] É como se toda a natureza estivesse dizendo: "Senhor, chegou Sua hora de voltar para nos livrar!"

Em 2004, o terremoto de Sumatra-Andaman e o *tsunami* na Indonésia que o sucedeu, cujas ondas ultrapassaram 30 metros de altura, ceifaram mais de 220 mil vidas, além dos muitos outros milhares de indivíduos que ficaram feridos. O terremoto que assolou a província de Sichuan, na China, em 12 de maio de 2008, matou quase 70 mil pessoas e outras 18 mil ficaram desaparecidas. Em 12 de janeiro de 2010, o Haiti foi abalado por um terremoto de proporções gigantescas. Segundo números do governo haitiano, no mínimo 220 mil pessoas morreram e mais de 3 milhões foram gravemente afetadas. Em 11 de março de 2011, um terremoto de 9.0 na Escala Richter causou um *tsunami* que atingiu o Japão e matou quase 20 mil pessoas. O número de terremotos aumentou drasticamente nos últimos 50 anos. Jesus também predisse a rápida ascensão de pestes.

As pestes são epidemias que impactam países inteiros. Elas também podem ser categorizadas como doenças estranhas que destroem nossas lavouras; poluentes que prejudicam o meio ambiente ou substâncias nocivas que contaminam o ar e a água.

Pulverizamos nossas plantações com pesticidas, pois alguns alegam que, se não o fizéssemos, as pestes ou pragas as destruiriam! É difícil encontrar no supermercado um alimento que não esteja coberto por pesticidas. A agricultura ao redor do mundo usa 2,5 bilhões de quilos de poluentes tóxicos por ano. Esses defensivos agrícolas são absorvidos pela terra até chegar a lençóis freáticos e oceanos. Pesticidas e fertilizantes artificiais têm provocado consequências devastadoras para o meio ambiente e para nossa saúde.

Um grupo de cientistas publicou um documento que foi denominado "Aviso à Humanidade". Escreveram: "Não nos restam mais do que uma ou poucas décadas" antes que se instale um caos irremediável na Terra.[4] É bom ficar claro que não foi um pastor atrás de um púlpito que disse isso. Foi um grupo de cientistas! Eles declararam: "As perspectivas para a humanidade serão imensamente diminuídas." Eles estão se referindo aos distúrbios que a humanidade vem provocando na natureza.

Outra forma de peste são as novas doenças que têm surgido ao redor do mundo. Você já se questionou sobre essas novas epidemias? De onde elas vêm? Antes de a ciência encontrar solução ou vacina para uma, outra aparece. Pense nas pestes que ceifaram milhões de vidas nos últimos anos. Tivemos a doença da vaca louca, a gripe aviária, a AIDS, doença de Lyme, o vírus de Marburg, o vírus do Nilo ocidental, a SARS, ebola e agora a Covid-19.

Sinal do fim?

Isso quer dizer que o novo coronavírus que tem assolado o mundo é um sinal da volta de Cristo? Ele não se destaca isoladamente como o sinal do fim. No entanto, ao olhar para o quadro mais amplo, as pestes consistem em um dos múltiplos sinais que Jesus prediz que aconteceriam antes de Seu retorno.

Eventos como esses indicam que o tempo está se esgotando e que estamos nos aproximando rapidamente do retorno de Cristo. O cenário está sendo montado para o clímax dos acontecimentos descritos nos livros proféticos de Daniel e Apocalipse. E tudo se cumprirá em breve.

À luz das predições de Cristo em Sua Palavra profética, o que podemos esperar do futuro? Os desastres naturais aumentarão. Fomes, terremotos e pestes ocorrerão com mais frequência. Assim como nos dias anteriores ao dilúvio de Noé, quando um mundo pecaminoso cheio de imoralidade e violência encheu a taça de sua iniquidade em rebelião contra Deus, nosso mundo está se preparando para os juízos divinos finais.

Em Seu amor, Deus apela a um planeta que O abandonou. Não há nada mais importante para Ele do que salvar tantos quanto possível. Quando Deus retira Seu poder protetor, desastres naturais e doenças que trazem morte se alastram. Ele não causa essas tragédias, mas as usa a fim de demonstrar a fragilidade da vida. Elas nos colocam de joelhos para buscarmos a única fonte de segurança, que é Cristo e as promessas de Sua Palavra. A Bíblia é um livro repleto das promessas de Deus.

A esperança eficaz

Quando perdemos a esperança, nuvens escuras de desespero pairam sobre nossa cabeça. O futuro parece sombrio, e o amanhã, incerto. A esperança nos move do que é para o que será. Ela pinta o futuro em um conjunto de cores brilhantes. Ergue nosso espírito da lama lá embaixo para o céu acima de nós.

Esperança não é um desejo vão ou um anseio vago por um amanhã melhor. Não é um desejo sem fundamento nem uma expectativa incerta. Nas Escrituras, a esperança é uma expectativa forte e confiante, baseada nas promessas imutáveis de Deus com a certeza de que aquilo que você espera será alcançado. Ao escrever o livro bíblico de Romanos, Paulo declarou que "tudo o que no passado foi escrito, para o nosso ensino foi escrito, a fim de que, pela paciência e pela consolação das Escrituras, tenhamos esperança" (Romanos 15:4). O apóstolo enfrentou as mais severas provações na vida. Foi apedrejado, espancado, condenado injustamente e encarcerado. Mesmo assim, escreveu aos cristãos de Roma que estavam enfrentando momentos difíceis: "E o Deus da esperança encha vocês de toda alegria e paz na fé que vocês têm, para que sejam ricos de esperança no poder do Espírito Santo" (v. 13). O Senhor é um Deus de esperança. Quando nos apropriamos de Sua preocupação amorosa por nós em todas as circunstâncias da vida, nosso coração se enche de alegria e paz, transbordando de esperança.

As promessas de Deus revelam esperança para hoje, amanhã e eternamente. Providenciam uma base segura em um mundo inseguro. Encorajam nosso coração e nos dão a percepção de que não estamos sozinhos. Comunicam esperança a nossa mente angustiada e paz a nosso espírito ansioso.

Embora possamos enfrentar desafios, e a vida não seja como planejamos ou desejamos, as promessas de Deus são certas. Nossa felicidade não é baseada na ideia ilusória de que nada de mal acontecerá conosco. Não é fundamentada no sonho mítico de que cada dia é mais fascinante que o anterior. Às vezes, coisas ruins acontecem com pessoas boas.

Vivemos em um mundo ferido. Doença, sofrimento, pobreza e enfermidade afligem tanto os justos quanto os injustos, mas há uma diferença: aqueles que depositam sua fé em Deus são cheios de esperança. Nossa esperança está firmemente ancorada em um Deus que nunca nos desaponta (veja Hebreus 6:18). Está enraizada Naquele que está conosco em nossas provações e dificuldades.

É fundamentada no Cristo que, um dia, assumiu a forma humana, que nos entende e nos fortalece em nossas provações (veja Hebreus 4:15). Ele Se identifica conosco em nossas lágrimas e consola nosso coração. Veio para nos proporcionar a esperança de um amanhã melhor.

Que hoje seu coração se encha de esperança! Jesus voltará em breve. Então o sofrimento, os desafios e as dificuldades da vida acabarão, e viveremos com Ele para sempre.

Referências

¹ Food and Agriculture Organization of the United Nations, "Globally almost 870 million chronically undernourished - new hunger report", disponível em <http://www.fao.org/news/story/en/item/161819/icode/>, acesso em 29 de maio de 2020.

² Ver dados do Centro de Sismologia da USP, disponível em <http://moho.iag.usp.br/eq/latest>, acesso em 29 de maio de 2020.

³ Ver Adam B. Smiith, "2018's Billion Dollar Disasters in Context", disponível em <https://www.climate.gov/news-features/blogs/beyond-data/2018s-billion-dollar-disasters-context>, acesso 29 de maio de 2020.

⁴ "1992 World Scientists' Warning to Humanity", disponível em <https://www.ucsusa.org/resources/1992-world-scientists-warning-humanity>, acesso em 29 de maio de 2020.

Para saber mais sobre o assunto deste capítulo, acesse este QR Code ou o link:
adv.st/esperanca-1

Você deseja saber mais sobre outros temas?
Acesse agora:
adv.st/queroesperanca

2

Vitória contra o medo, a preocupação e a ansiedade

Certa vez, alguém disse que o medo, a preocupação e a ansiedade são nossos maiores inimigos. Recentemente, ouvi uma antiga lenda fascinante.

Conta-se que um camponês se dirigia a Constantinopla e foi parado por uma senhora idosa que lhe pediu carona. Ele a colocou ao seu lado e, enquanto seguiam viagem, reparou bem na expressão facial dela e assustado perguntou:

– Quem é você?

A velhinha respondeu:

– Eu sou a dona Cólera.

Assustado, o camponês mandou a mulher descer e ir andando, mas ela o convenceu a levá-la junto, prometendo que não mataria mais do que cinco pessoas em Constantinopla. Como garantia da promessa, entregou-lhe um punhal, dizendo que era a única arma capaz de matá-la. E acrescentou:

– Eu o encontrarei em dois dias. Se quebrar minha promessa, você pode me apunhalar.

Em Constantinopla, 120 pessoas morreram de cólera. Enraivecido, o homem que lhe dera carona para a cidade começou a procurá-la. Quando a encontrou, levantou o punhal que ela havia lhe dado para matá-la e gritou:

– Você prometeu que não mataria mais de cinco pessoas, mas 120 morreram!

Mas ela o deteve, dizendo:

– Eu cumpri minha promessa. Só matei cinco. Foi o medo que matou as outras.

Essa lenda é uma parábola verdadeira da vida. As doenças podem matar milhares de pessoas, mas muitas morrem porque são avassaladoramente tomadas pelo medo. Quando encaramos o futuro com ansiedade, esperando o pior, em vez de aguardar o melhor com expectativa, somos tomados por um sentimento paralisante. Desde nosso nascimento, o medo frequentemente lança sua sombra escura sobre nós. Ele oprime nossa mente, fragiliza nosso sistema imunológico, diminui nossa força de vontade e nos enfraquece na batalha contra o inimigo. O medo sufoca a alegria e destrói os sonhos.

Trata-se de uma emoção intimamente relacionada à ansiedade e preocupação. Com frequência, sobrevém em decorrência de alguma ameaça, situação ou perigo aparentemente inevitável. Aprendemos com a Covid-19 que, repentinamente, uma pandemia pode incutir medo no coração do mundo inteiro. As pessoas passaram a temer que cada indivíduo com quem se encontrassem pudesse ser portador do novo coronavírus. Qualquer tosse acendia o alerta de quem estava perto. Espirros faziam o coração acelerar. Muitos se perguntavam o tempo inteiro: "Será que peguei o vírus? E se eu estiver infectado? É minha sentença de morte?"

Como lidar com o medo

O que pode nos livrar de nossos piores temores? Ou melhor: Quem pode realmente nos acalmar? A Bíblia apresenta mais de 3 mil promessas que evidenciam o amor e cuidado de Deus. Muitas delas são especificamente animadoras em tempos de crise. Quando nos apegamos às promessas divinas, ficamos cheios de esperança ao enfrentar as dificuldades da vida. A confiança em Cristo nos fortalece, e temos a certeza de que Ele permanece ao nosso lado. Temos a garantia Daquele que disse: "De maneira alguma deixarei você, nunca jamais o abandonarei" (Hebreus 13:5).

Uma das mais belas histórias da Bíblia sobre superação do medo é um relato por vezes esquecido do Antigo Testamento. O rei da Síria havia cercado a cidade israelita de Dotã. A intenção do monarca era capturar o profeta israelita Eliseu. Toda vez que o rei da Síria fazia uma investida bélica, Eliseu avisava o capitão do exército israelita. O monarca sírio estava furioso. Ele imaginava que a única maneira de vencer a batalha era capturando e matando o profeta.

Então os sírios levaram todas as forças de seu poderoso exército para cercar a cidade de tal modo que seria impossível fugir. Quando o servo de Eliseu acordou no início da manhã e viu a cidade sitiada pelo exército inimigo com centenas de carros e cavalos, foi tomado pelo medo. As preocupações encheram seu coração. A morte parecia inevitável. Aterrorizado, ele procurou o profeta: "Ah, meu senhor! O que faremos?" (2 Reis 6:15). A resposta de Eliseu foi clássica. Ele apresentou um princípio transformador de vida para todos que são envoltos pelo medo. Algo que dá conforto para quem é consumido por preocupações e ansiedades. Eliseu simplesmente declarou: "Não tenha medo, porque são mais os que estão conosco do que os que estão com eles" (v. 16).

Embora a situação fosse quase impossível, Deus continuava no controle. Ele ainda estava em Seu trono. Tinha uma solução para os problemas mais difíceis. Era capaz de abrir caminho quando não parecia haver saída.

Eliseu orou para que seu ajudante visse o que ele enxergava: o exército angelical que havia sido enviado para protegê-los daquela ameaça. Milagrosamente, o exército sírio foi acometido de cegueira. Então Eliseu e seu servo escaparam. Deus tem milhares de maneiras de nos livrar de nossos piores medos. Se nossos olhos se concentrarem no problema, o medo vai nos dominar. Com o olhar fixo em Jesus, a emoção do medo pode até se manifestar, mas não poderá nos incapacitar.

A resposta ao medo incapacitante não é que jamais teremos medo novamente, mas que teremos Alguém que está conosco em nossos medos, nos fortalecendo a prosseguir a despeito de como nos sentimos. Ao nosso lado, temos Alguém maior que temores, preocupações e ansiedades. Ele tem soluções práticas, reais e simples para nossos problemas. O reconhecimento da presença de Deus é o antídoto para o medo. Fomos criados para viver pela fé, não para sermos consumidos por temores. Fomos criados para viver com confiança Naquele que nos criou. Olhe para além de seus temores e você enxergará Cristo, que cuida de você mais do que imagina.

Fé x medo

Há outra história sobre como vencer o medo e substituí-lo pela fé. Ela ocorreu num tempestuoso mar da Galileia, que tem cerca de 21 quilômetros de comprimento e 13 de largura. Às vezes, ventos fortes sopram, provocando rapidamente uma torrente de fúria impetuosa nele.

Os discípulos o atravessavam em uma noite estrelada, desfrutando as águas calmas. De repente, nuvens escuras cobriram o céu. O vento agitou as águas, formando grandes ondas. Gigantescas torrentes de água se chocavam contra o barco. O evangelho de Mateus relata o caso da seguinte maneira: "Entretanto, o barco já estava longe, a muitos estádios da terra, açoitado pelas ondas; porque o vento era contrário. Na quarta vigília da noite, foi Jesus ter com eles, andando por sobre o mar" (Mateus 14:24, 25, ARA). A quarta vigília da noite é entre três e seis da manhã. Eles haviam entrado no barco no início da noite. Era para terminar a travessia em duas ou três horas, mas lutaram contra o vento e as ondas por oito longas horas. Sentiam-se fatigados, cansados e exaustos. Era como se não conseguissem mais lutar. Sua força havia se esgotado.

Há momentos na vida em que a batalha é ferrenha. A tempestade nos assola ao redor, e nos sentimos tão exaustos com o conflito que imaginamos ser incapazes de continuar o combate. É nesse momento que chega uma boa notícia.

O que Jesus estava fazendo enquanto isso? Onde Ele estava durante aquela luta tão acirrada? Estava orando pelos discípulos. Pedia ao Pai que lhes aumentasse a fé, que os fortalecesse para enfrentar a tempestade e lhes concedesse coragem para prosseguir. Jesus sabia algo que os discípulos desconheciam: a cruz estava se aproximando, e a tempestade que atravessavam naquele momento aumentaria a fé dos doze para o que viria pela frente. Nas tempestades da vida que enfrentamos todos os dias, Jesus está nos preparando para crises maiores que assolarão nosso mundo no futuro.

Os discípulos viam a tempestade; Jesus via os discípulos. Os olhos deles estavam fixos nas ondas; os de Jesus estavam fixos nos discípulos. Para os discípulos, tudo parecia descontrolado, mas Jesus continuava no controle. Em meio às tempestades da vida, Seus olhos estão sobre nós. Quando trovões ribombam e as ondas crescem, Ele continua a ser poderoso para salvar. Nas trevas, Ele é a luz de nossa vida.

Nos versos 25 e 26, as Escrituras dizem: "Na quarta vigília da noite, foi Jesus ter com eles, andando por sobre o mar. E os discípulos, ao verem-No andando sobre as águas, ficaram aterrados e exclamaram: É um fantasma! E, tomados de medo, gritaram" (ARA). A palavra grega para "medo" traduzida no verso 26 é extremamente forte. Uma tradução mais adequada poderia ser "aterrorizados". E esse é o problema. Os discípulos temiam o que não conheciam. Viram o que imaginavam ser um fantasma. A crença em espíritos maus era comum na Palestina do 1º século. A ideia da existência de fantasmas, espíritos e guardiões era disseminada. Aqueles discípulos haviam passado anos com Jesus, mas, em um momento de tempestade, seus temores tomaram conta e obscureceram os processos de pensamento racional.

O desconhecido por vezes desperta medo, e o problema é que, em algumas ocasiões, nossos piores medos se tornam realidade. Há quem diga: "Não se preocupe. Vai dar tudo certo." Mas você e eu sabemos que nem sempre as coisas acontecem da maneira que desejamos. Por isso, muitos entram no jogo do "e se": "E se eu tiver câncer?"; "Como vou reagir se o médico disser que preciso começar o tratamento imediatamente?"; "Meu marido não voltou para jantar conosco às 17h, como de costume. Já são 19h, e ele ainda não ligou. E se ele tiver sofrido um acidente?"; "A empresa em que trabalho está fazendo um corte drástico de pessoal. E se eu perder o emprego e não conseguir pagar as contas?"

As perguntas do tipo "e se" precisam abrir caminho para a voz de Cristo, que proclama em meio ao mar enfurecido da vida: "Coragem! Sou Eu. Não tenham medo!" (v. 27). Você já notou quantas vezes o Senhor diz: "Não tenham medo!"? Ao longo dos evangelhos, Jesus usa muitas vezes as expressões "Não tenham medo" e "Tenham bom ânimo".

Jesus é a resposta para os medos esmagadores que consomem nossa energia, roubam nossa alegria e arruínam nossa saúde. O medo precisa dar lugar para a fé à medida que ajustamos nosso foco. O medo é uma emoção. Nem sempre conseguimos controlar nossas emoções. Elas vêm e vão. Com frequência, nos inundam de modo inesperado. A fé é uma atitude. Significa confiar em Deus como um Amigo que nos ama e jamais nos causará qualquer mal.

Confiança e calma

Permita-me compartilhar uma ilustração bem pessoal sobre confiança. Precisei fazer um tratamento médico para um problema de saúde específico que estou enfrentando. Uma das terapias recomendadas pela equipe médica foi a oxigenoterapia hiperbárica. É necessário entrar em uma câmara hiperbárica de oxigênio e permanecer lá por cerca de duas horas todos os dias, em um total de 35 a 40 sessões. Quando o dono da clínica me explicou como funcionava o tratamento, avisou que o problema de muitas pessoas que entram na câmara não é claustrofobia, mas falta de confiança. Não é possível sair sozinho da câmara. O paciente precisa ter confiança absoluta de que o operador o tirará de lá após o procedimento. A confiança promove a calma.

Quando entrei na câmara hiperbárica, depositei minha confiança no técnico. Não senti medo, pois confiei em quem estava operando a máquina. Acreditei que a pessoa no controle sabia o que estava fazendo.

Quando passamos por experiências desafiadoras, quando o medo cresce e a ansiedade ameaça nossa alegria, podemos ter confiança absoluta em Cristo. É Jesus quem está no comando; Ele sabe o que faz.

A resposta para os temores é crer que Jesus Se faz presente nas tempestades da vida e nos acompanhará em meio a qualquer situação. O medo é uma emoção. A fé é uma atitude e uma escolha.

Pedro não permitiu que seus temores passassem por cima da fé e o fizessem perder o foco. Em meio à tempestade e às ondas enfurecidas, ele clamou a Jesus: "Se é o Senhor mesmo, mande que eu vá até aí, andando sobre as águas" (v. 28). A fé nos faz sair do barco. A fé nos leva a caminhar nas águas tempestuosas com Jesus. A fé nos leva a enfrentar o vento e a chuva com os olhos fixos no Mestre dos ventos e Senhor do céu e da Terra. A fé vence o medo. A confiança triunfa sobre as provações. A fé supera os obstáculos em nosso caminho e nos capacita a andar por sobre os mares tempestuosos com Jesus.

Jesus respondeu ao pedido de Pedro com uma palavra: "Venha!" (v. 29). Jesus nunca diz: "Mantenha distância!" Nunca diz: "Você que resolva." Jesus nunca diz: "Pare de me incomodar com isso. Já tenho problemas demais para solucionar no mundo."

Ao contrário, Ele diz: "Venha! Saia do barco. Venha pela fé e caminhe sobre a água. Venha! Meus braços são fortes! Você não vai se afogar." Pedro atendeu ao convite de Cristo e saiu do barco. Aventurou-se no desconhecido com Jesus. Diante dos ventos uivantes, Pedro não permitiu que seus temores o paralisassem.

Quais são seus maiores medos? O que mais preocupa você? Cristo é maior que nossos temores. Ele é maior que nossas dúvidas. É maior que nossas perguntas. E nos convida a ir até Ele nos mares tempestuosos da vida.

Quando Pedro manteve o olhar fixo em Jesus, andou por sobre as águas. Mas aconteceu com ele algo que também ocorre conosco com frequência nas tempestades da vida. Pedro perdeu a concentração. O verso 30 acrescenta: "Reparando, porém na força do vento, teve medo." Enquanto Pedro dirigiu o olhar para Cristo e confiou em Sua palavra, caminhou por sobre as águas. Quando, porém, se concentrou nas ondas e na situação traiçoeira em que se encontrava, ele afundou. Ou olhamos para nossas dificuldades de uma perspectiva terrena ou as encaramos pelos olhos da fé.

Quando somos dominados pelo medo, afundamos, porque nossa fé enfraqueceu e submergiu. No momento em que Pedro começou a afundar no mar tempestuoso, houve apenas uma coisa capaz de salvá-lo. Não foi sua habilidade de pescador experiente. Não foi seu conhecimento do mar da Galileia nem sua sabedoria para resolver problemas. Não foi sua capacidade de nadar de volta para o barco. Quando Pedro começou a afundar, ele gritou: "Salve-me, Senhor!" (Mateus 14:30).

Mateus: testemunha de um milagre

Mateus foi testemunha desse milagre. Ele escreveu com base em uma experiência em primeira mão. Mateus estava no barco observando toda aquela cena acontecer. E relatou: "E, prontamente, Jesus, estendendo a mão, o segurou" (Mateus 14:31). Quando Pedro clamou, Jesus respondeu imediatamente. Cristo Se faz presente nas tempestades da vida. Ele está aqui quando as ondas são altas e a noite é escura.

Você já notou que nessa passagem há dois gritos? Um de medo e outro de fé. Quando os discípulos viram o que imaginavam ser uma aparição, de acordo com o verso 26, eles gritaram de medo. Quando Pedro estava afundando nas ondas, gritou com fé.

Podemos ter confiança absoluta na realidade de que Jesus nunca Se afasta daqueles que clamam com fé. Seu braço é forte para nos sustentar. Davi descreve isso lindamente: "Agora sei que o Senhor salva o Seu ungido; [...] com a vitoriosa força da Sua mão direita" (Salmo 20:6). Estamos seguros nas mãos de Jesus.

Observe que Jesus não diz a Pedro: "Pedro, onde está sua fé?" ou "Pedro, você não tem fé." Na verdade, o que Ele disse foi: "Homem de pequena fé" (Mateus 14:31). Uma fé pequena é melhor do que nenhuma fé. Isso me lembra da declaração de Jesus em Mateus 17:20: "Se vocês tivessem fé, mesmo que fosse do tamanho de uma semente de mostarda, poderiam dizer a este monte: 'Saia daqui e vá para lá', e ele iria" (NTLH). Quando exercitarmos nossa pequena fé, ela crescerá e se tornará uma força poderosa que nos capacitará a caminhar pelos mares tempestuosos da vida.

Pedro teve fé suficiente para sair do barco, mas não para atravessar a tempestade. Muitas vezes, Jesus permite que as tempestades da vida soprem sobre nós para aumentar nossa fé. O trabalho da fé é garantir que nossas dúvidas receberão as respostas certas da parte de Deus.

Ser consumidos pelo medo ou permanecer cheios de esperança depende apenas da perspectiva com a qual enxergamos a vida. Se nos fixarmos nos problemas, nosso coração se encherá de temor. Jesus diz: "Olhe para cima!" Por quê? Quando olhamos para o santuário celestial, vemos Jesus e descobrimos força em Suas promessas. Em Cristo, encontramos confiança. Nele, experimentamos paz. Jesus nos ergue acima das incertezas e preocupações da vida. Ao Seu lado, nosso coração se enche de segurança Naquele que nos ama com amor eterno, imperecível, insondável, inesgotável e infinito.

Encontre conforto

Acredita-se que a expressão "não temas" se repita 365 vezes na Bíblia: uma para cada dia do ano. Deus cuidou do calendário inteiro! E nos convida a descansar em Seu amor, a confiar em Sua graça e a nos alegrar em Seu poder.

Em uma das promessas mais cheias de conforto da Bíblia, o profeta Isaías registra um encorajamento poderoso de Deus para nós: "Não tema, porque Eu estou com você" (Isaías 41:10). Por que não devemos temer? Porque Jesus está conosco. Não importa o que passemos, Ele permanece ao nosso lado. "Não tema, porque Eu estou com você; não fique com medo, porque Eu sou o seu Deus. Eu lhe dou forças; sim, Eu o ajudo; sim, Eu o seguro com a mão direita da Minha justiça" (Isaías 41:10). Quando nos deparamos com enfermidades, sofrimento e doenças, não precisamos temer; Jesus está conosco. No mesmo livro, encontramos esta mensagem de alento maravilhosa: "Digam aos desalentados de coração: 'Sejam fortes, não tenham medo. Eis aí está o Deus de vocês. A vingança vem, a retribuição de Deus; Ele vem e para salvar vocês'" (Isaías 35:4).

Porque não precisamos temer? O motivo não é porque acreditamos que jamais ficaremos doentes. A libertação do medo está fundamentada na certeza da presença de Cristo conosco. Você se lembra da ocasião em que Jó sofreu com uma peste terrível que afligiu seu corpo? Em meio ao sofrimento, ele declarou confiante: "Porque eu sei que o meu Redentor vive e por fim Se levantará sobre a terra. Depois, revestido este meu corpo da minha pele, em minha carne verei a Deus" (Jó 19:25, 26). Jó tinha certeza absoluta de que um tempo melhor viria e que, um dia, ele veria a Deus face a face. Até então, com esperança e confiança, ele era capaz de exclamar: "Embora Ele me mate, ainda assim esperarei Nele" (Jó 13:15, NVI). Jó viveu confiante no Deus que não só prometeu estar com ele a cada momento do dia, mas também lhe garantiu que um amanhã melhor viria.

Mesmo se contrairmos uma doença que pode causar a morte, nossa fé deve se apegar à promessa de que Jesus voltará em breve para nos levar ao lar. Assim como Jó, acreditamos que O veremos face a face. Cristo deixou estas palavras de conforto para nós: "Que o coração de vocês não fique angustiado; vocês creem em Deus, creiam também em Mim. Na casa de Meu Pai há muitas moradas. Se não fosse assim, Eu já lhes teria dito. Pois vou preparar um lugar para vocês. E, quando Eu for e preparar um lugar, voltarei e os receberei para Mim mesmo, para que, onde Eu estou, vocês estejam também" (João 14:1-3).

Jesus voltará! Naquele dia maravilhoso, seremos levados às nuvens do céu e nos encontraremos com Ele nos ares. Enfermidade e sofrimento serão erradicados para sempre. Doença e morte não terão lugar na presença de nosso Deus amoroso.

Um dos principais motivos para não vivermos com medo é o fato de que conhecemos o fim de tudo. Sabemos que a doença não terá a palavra final. A palavra final é de Cristo. Sabemos que o coronavírus – ou qualquer outro vírus, desastre natural, calamidade ou guerra nuclear – não destruirá toda a vida do planeta Terra. Temos a promessa do retorno de Jesus. Vemos fomes. Vemos terremotos. Vemos a angústia entre as nações. Vemos a possibilidade de um conflito nuclear. Vemos a mudança climática. Vemos doenças ceifando a vida de milhares.

Vemos todas essas coisas, mas temos uma esperança que nos capacita a triunfar em meio aos momentos mais difíceis da vida. Há uma sensação de confiança que nos faz avançar, porque lemos os últimos capítulos da Bíblia. Sabemos qual é o fim da história. Em Apocalipse 21:4 e 5, João escreve: "E lhes enxugará dos olhos toda lágrima. E já não existirá mais morte, já não haverá luto, nem pranto, nem dor, porque as primeiras coisas passaram. E Aquele que estava assentado no trono disse: Eis que faço novas todas as coisas!" Acreditamos na "bendita esperança" expressa em Tito 2:13 de que Cristo voltará. Por isso, enxergamos além e visualizamos como tudo será. Olhamos além do hoje e contemplamos o amanhã. Enxergamos além da doença e vislumbramos saúde plena. Olhamos além dos vírus que se espalham pelo ar.

Deus tem um propósito ao permitir que as calamidades aconteçam. Ele nos chama para depender completamente de Seu amor. Revela-nos que não existe certeza no mundo em que vivemos. Cristo é nossa única segurança. É nosso único Salvador, Redentor, Libertador e Rei vindouro. Qual é a grande mensagem que recebemos na pandemia da Covid-19? Somos chamados a acordar.

Cristo está nos dizendo que este mundo não é tudo que existe. Nossa vida é frágil. Nosso corpo é frágil. Muito além disso, porém, há algo melhor por vir: a glória de Deus. Existe algo pelo qual vale a pena viver, e esse algo é Jesus. Permita que Ele preencha seu coração, elimine seus temores, fortaleça sua decisão e o prepare para Seu breve retorno.

Para saber mais sobre o assunto deste capítulo, acesse este QR Code ou o link: adv.st/esperanca-2

Você deseja saber mais sobre outros temas? Acesse agora: adv.st/queroesperanca

3

A vacina definitiva

No período em que escrevo este livro, laboratórios de pesquisa e centros médicos universitários do mundo inteiro estão em velocidade máxima para descobrir uma vacina eficaz contra o novo coronavírus, causador da Covid-19. As vacinas têm o objetivo de produzir uma resposta imunológica, incluindo maior produção de anticorpos e defesa contra infecções provocadas por vírus e bactérias.

Enquanto os países tentam controlar a disseminação dessa pandemia mortal, uma das maiores preocupações é o temor de que novas ondas de Covid-19 ocorram. Essa preocupação tem levado os pesquisadores a atribuir grande prioridade ao desenvolvimento de uma vacina tão rápido quanto possível.

Quarenta voluntários da área da saúde de um laboratório de pesquisa nos Estados Unidos aceitaram participar de testes clínicos para o desenvolvimento de uma vacina eficaz contra o vírus causador da Covid-19. Nesse estudo, a vacina é injetada no braço como se fosse um simples teste de pele. "É o estudo experimental mais importante que já realizamos", contou o Dr. John Ervin, do Center for Pharmaceutical Research.[1] Porém, mesmo que a pesquisa dê certo, espera-se que leve mais de um ano antes que qualquer vacina esteja disponível em larga escala. Os cientistas e a população mundial estão ansiosos por uma vacina que impeça a contaminação com Covid-19.

Muito embora a pandemia atual tenha causado centenas de milhares de mortes no mundo inteiro, há um vírus ainda mais mortal que infectou a humanidade. A Covid-19 pode até destruir o corpo, mas essa doença fatal é capaz de tirar mais do que a vida física. Jesus fez esta afirmação notável: "Não tenham medo dos que matam o corpo, mas não podem matar a alma; ao contrário, temam Aquele que pode fazer perecer no inferno tanto a alma como o corpo" (Mateus 10:28). O vírus do pecado é muito mais mortal que o coronavírus.

Após o contágio com o vírus do pecado, o prognóstico é morte eterna, a menos que a vacina seja administrada. Como essa pandemia começou e qual é a solução definitiva para ela?

Vírus mortal

Mesmo criados perfeitos à imagem e semelhança de Deus, infelizmente Adão e Eva ouviram a voz da serpente no jardim do Éden e cederam a suas tentações. A partir de então, foram infectados pelo vírus do pecado que se alojou na natureza humana. Por conta disso, o primeiro casal transmitiu esse mal a seus descendentes. É por isso que o salmista declara milênios depois da queda no Éden: "Eu nasci na iniquidade, e em pecado me concebeu a minha mãe" (Salmo 51:5).

O diagnóstico é desesperador: "O coração é mais enganoso que qualquer outra coisa e sua doença é incurável" (Jeremias 17:9, NVI). Todos nós recebemos essa herança terrível que infecta o cerne de nossa vida e desvirtua tudo o que somos e fazemos. Isaías acrescenta: "Todos nós andávamos desgarrados como ovelhas; cada um se desviava pelo seu próprio caminho" (Isaías 53:6). Paulo lamentou: "Miserável homem que sou! Quem me livrará do corpo desta morte?" (Romanos 7:24). Temos uma doença fatal e altamente contagiosa que se propaga de pai para filho. Alguns, porém, acreditam que não a têm ou que são assintomáticos. Vivem disseminando orgulho, inveja, egoísmo, tossindo maldade e espirrando impureza, inconscientes da gravidade de seu caso. Precisam da vacina, necessitam desesperadamente encontrar o Médico.

A cura

Há alguém capaz de nos livrar das garras do pecado. Quando o apóstolo Paulo exclama: "Miserável homem que sou! Quem me livrará do corpo desta morte?", ele não nos deixa uma pergunta aberta. Em vez disso, responde ao próprio questionamento de modo triunfante: "Graças a Deus por Jesus Cristo, nosso Senhor!" (Romanos 7:24, 25). Há um Médico que possui o remédio para o vírus do pecado. Jesus deu a Sua vida para que a cura estivesse disponível para nós.

O Médico divino Se sacrificou para nos livrar do poder do vírus do pecado. Ele enfrentou as tentações de Satanás e foi vitorioso. Satisfez as demandas da lei que nós transgredimos. Sofreu a morte que era nossa a fim de vivermos a vida que Lhe pertence. A cruz revela ao Universo até que ponto Cristo foi para nos salvar.

A Bíblia nos diz que Cristo carregou "Ele mesmo, em Seu corpo, sobre o madeiro, os nossos pecados" (1 Pedro 2:24). A cruz do Calvário revela um amor que vai além da compreensão humana. Olhando para o Filho de Deus crucificado, podemos nos unir ao apóstolo Paulo, que disse: Ele "me amou e Se entregou por mim" (Gálatas 2:20).

Não merecemos a graça de Cristo. Não temos mérito algum que nos permita obtê-la. Ele sentiu toda a ira do Pai, ou seja, o juízo contra o pecado. Foi rejeitado para que sejamos aceitos. Sofreu a morte que era nossa a fim de que vivamos a vida que Lhe pertence. Usou uma coroa de espinhos para usarmos uma coroa de glória. Foi pregado em pé, sofrendo dor torturante na cruz para reinarmos assentados em um trono com os remidos de todas as eras. Usou vestes de vergonha para trajarmos vestes reais para sempre.

A maior de todas as maravilhas, o maior de todos os fascínios é que, mesmo em meio à nossa vergonha e culpa, Jesus não nos rejeitou. Ele nos buscou em amor para nos aceitar. É o "Cordeiro de Deus, que tira o pecado do mundo!" (João 1:29). No santuário do Antigo Testamento, o cordeiro prestes a morrer representava o corpo ferido, alquebrado e ensanguentado de nosso Salvador. Entendidos de forma correta, esses sacrifícios apontavam futuramente para a rude cruz. Falam de pregos e de uma coroa de espinhos. Falam de um julgamento mentiroso, da agonia do madeiro, da zombaria dos soldados romanos e dos escárnios da multidão. Falam do preço do pecado, da condenação da lei e da maravilha da graça.

A cruz revela um amor tão maravilhoso, tão extraordinário e tão divino que preferiu tomar sobre Si a condenação, a culpa e a penalidade do pecado a perder eternamente qualquer um de Seus filhos. Ellen White escreveu:

> Satanás torturava com cruéis tentações o coração de Jesus. O Salvador não podia enxergar para além dos portais do sepulcro. A esperança não Lhe apresentava Sua saída da sepultura como vencedor, nem Lhe falava da aceitação do sacrifício por parte do Pai. Temia que o pecado fosse tão ofensivo a Deus, que Sua separação houvesse de ser eterna. Cristo sentiu a angústia que há de experimentar o pecador quando não mais a misericórdia interceder pela raça culpada. Foi o sentimento do pecado, trazendo a ira divina sobre Ele, como substituto do homem, que tão amargo tornou o cálice que sorveu e quebrantou o coração do Filho de Deus.[2]

Essa é a história da graça. Essa é a história do amor sem medida do Salvador. Essa é a história de Jesus, que nos ama tanto que preferiu sofrer Ele mesmo a experiência da maldição a perder um de nós. Essa é a história de um amor ilimitado, inalcançável, incompreensível, imperecível, interminável e infinito que anseia por nossa presença a Seu lado ao longo de toda a eternidade. É a história do Filho de Deus, que Se dispôs a assumir a culpa, a condenação e as consequências de nosso pecado. A morte de Cristo na cruz nos liberta da condenação, da culpa, da vergonha e da penalidade definitiva do pecado. O sangue derramado de Cristo é a única vacina eficaz contra o vírus do pecado, mas a história não termina na cruz.

Ele vive

Se Jesus tivesse morrido e nunca ressuscitado, seria um mero mártir de uma boa causa. Se jamais houvesse vencido a sepultura, que esperança teríamos de vida eterna? Para nos redimir, são necessários tanto o Cristo que morreu quanto o Cristo vivo. O Cristo ressurreto nos livra das garras do pecado. O domínio do pecado em nossa vida se rompeu. Ele não nos prende mais em suas garras. Há um poder mais forte que a influência de nossa hereditariedade, o ambiente em que vivemos ou os erros do passado. Trata-se do poder do Cristo vivo, que ressuscitou dos mortos para transformar nossa vida. Se o túmulo de Cristo não estivesse vazio, nossa vida não poderia ser cheia. Se o corpo Dele ainda estivesse no túmulo, não haveria certeza de que nosso corpo um dia também deixaria a sepultura. Se Ele não tivesse ressuscitado, não teríamos esperança de ressurreição.

No evangelho de Mateus, lemos:

> No dia seguinte, isto é, no sábado, os chefes dos sacerdotes e os fariseus dirigiram-se a Pilatos e disseram: "Senhor, lembramos que, enquanto ainda estava vivo, aquele impostor disse: 'Depois de três dias ressuscitarei'. Ordena, pois, que o sepulcro Dele seja guardado até o terceiro dia, para que não venham Seus discípulos e, roubando o corpo, digam ao povo que Ele ressuscitou dentre os mortos. Este último engano será pior do que o primeiro." "Levem um destacamento", respondeu Pilatos. "Podem ir, e mantenham o sepulcro em segurança como acharem melhor." Eles foram e armaram um esquema de segurança no sepulcro; e além de deixarem um destacamento montando guarda, lacraram a pedra (Mateus 27:62-66, NVI).

Não se esqueça de que Mateus era cobrador de impostos, ou seja, era de se esperar que ele fosse bem detalhista. Observe as palavras de Pilatos que ele registra: "Podem ir, e mantenham o sepulcro em segurança como acharem melhor." Há quatro pontos cruciais nessa passagem.

1. Os escribas e fariseus estavam preocupados com a ressurreição de Cristo.
2. Pilatos ordenou que um destacamento de guardas romanos vigiasse a sepultura.
3. Uma grande pedra foi rolada, tampando a entrada.
4. Um selo romano lacrou o túmulo.

Um destacamento romano de soldados experientes foi posicionado para vigiar a sepultura. Esse grupo de oficiais romanos tinha o dever de honra de proteger o sepulcro. O protocolo militar romano exigia fidelidade à missão. Qualquer desvio da lealdade absoluta e falha em cumprir a tarefa designada eram punidos com a morte. Em seguida, vem a questão do selo romano. Os soldados lacraram o túmulo com um selo romano, que tinha o objetivo de impedir qualquer tentativa de vandalizar a sepultura. O selo simbolizava o poder e a autoridade do império. Qualquer um que tentasse remover a pedra da entrada do túmulo romperia o selo e incorreria na quebra da lei romana. Os romanos governavam Jerusalém com braço de ferro e não tolerariam nenhum desafio à sua autoridade.

Usando a lógica, alguém acharia que os discípulos desafiariam a autoridade de Roma depois que o governo romano condenou e executou Jesus? Onde estavam os discípulos naquela ocasião? Estavam tremendo de medo, escondidos no cenáculo. Pedro havia acabado de negar o Senhor três vezes. Na cruz, os discípulos abandonaram Jesus e fugiram. É ilógico achar que aqueles discípulos sem fé teriam coragem de violar o selo romano.

Além disso, seria necessário mover a pedra. Em João 20:1, as Escrituras relatam: "No primeiro dia da semana, bem cedo, estando ainda escuro, Maria Madalena chegou ao sepulcro e viu que a pedra da entrada tinha sido removida." Os túmulos antigos daquela época tinham cerca de 1,20 metro de largura e 1,50 metro de altura. Os arqueólogos descobriram vários túmulos desse tipo na região de Jerusalém. Em geral, uma pedra de sepultura como essa pesava cerca de duas toneladas. Ficava em um sulco na entrada do túmulo e era colocada no lugar por uma alavanca a fim de fechar a sepultura. Com frequência, o sulco não era nivelado, então a pedra redonda era rolada para baixo em uma pequena inclinação até o lugar correto. Depois de fechado, era extremamente difícil remover a pedra do sepulcro, pois seria necessário rolá-la para cima.

Josh McDowell apresenta um argumento muito sólido ao afirmar que "tantas medidas de segurança foram tomadas no julgamento, na crucifixão, no sepultamento, no fechamento e selamento do túmulo, bem como na guarda de Sua sepultura que fica difícil para os críticos defender seu posicionamento de que Cristo não ressuscitou dos mortos".[3]

Onde os discípulos estavam quando Maria Madalena se aproximou do túmulo? Escondidos no cenáculo, com medo de ser caçados e mortos em seguida. Uma das maiores evidências da ressurreição de Cristo é a transformação na vida dos discípulos quando começaram a proclamar poderosamente Sua ressurreição. Para onde foram primeiro? Eles voltaram para Jerusalém, o mesmo lugar de onde haviam fugido. Com o tempo, cada um desses discípulos, com exceção de João, sofreu a morte de mártir. Tiago foi decapitado. Pedro foi crucificado de cabeça para baixo. É absurdo pensar que morreriam pela defesa de uma mentira que eles mesmos inventaram!

O historiador Paul Maier observa que "se todas as evidências forem pesadas com cuidado e justiça, é de fato justificável concluir, de acordo com os cânones da pesquisa histórica, que o sepulcro de José de Arimateia, no qual Jesus foi sepultado, estava de fato vazio na manhã da primeira Páscoa. E nenhum fragmento de evidência foi descoberto em fontes literárias, epigráficas ou arqueológicas que refutem essa declaração".[4]

Muitas testemunhas

Diversas testemunhas da ressurreição de Cristo atestaram que Ele continuava vivo. Jesus apareceu para Maria Madalena junto ao túmulo. Apareceu para as mulheres que haviam ido ungir Seu corpo quando estavam a caminho do sepulcro. Apareceu para dois discípulos na estrada para Emaús. Ele apareceu para os onze no cenáculo no domingo à noite e depois novamente para Tomé e os discípulos. Apareceu para 500 fiéis reunidos nas colinas da Galileia antes de Sua ascensão para o Céu. Contaram que Ele apareceu para eles durante um período de 40 dias. O apóstolo Paulo relata que Jesus apareceu para mais de 500 de Seus seguidores de uma vez, e a maioria deles ainda estava viva para confirmar a informação na época em que Paulo escreveu.

Verdades transformadoras

Com frequência, a Bíblia comunica lições profundas em termos simples. O evangelho de Mateus diz apenas: "Passado o sábado, no começo do primeiro dia da semana, Maria Madalena e a outra Maria foram ver o túmulo" (Mateus 28:1).

Por um instante, vamos pensar na relevância dessa passagem. Reflita sobre o que passou pela mente dos discípulos naquele sábado. Eles estavam desanimados, desencorajados, de coração abatido. Suas esperanças haviam se dissipado como uma sombra. Pedro e João tinham deixado seu próspero negócio de pesca para seguir a Cristo. Haviam arriscado tudo para acompanhar um pregador judeu itinerante de Nazaré. Porém, Ele estava morto. Qual seria o futuro deles então?

Mateus tinha aberto mão de sua carreira estável como cobrador de impostos para seguir Jesus. Não poderia mais voltar para o antigo trabalho. Seu futuro como publicano estava arruinado.

Pense em Maria Madalena. Ela tinha uma péssima reputação, mas havia encontrado perdão, misericórdia e graça em Cristo. Pela primeira vez na vida, descobriu Alguém que a amava com um sentimento puro, altruísta e divino. Ele expulsou os demônios que a haviam atormentado por tanto tempo. Em Cristo, ela encontrou uma nova chance, uma razão para viver.

Mas Jesus estava morto. Na última vez que ela tinha visto o Salvador, o corpo Dele estava alquebrado, ferido e ensanguentado. Ela havia se afastado em angústia e tristeza profunda na crucifixão. Não conseguia suportar ver o sangue vermelho e viscoso escorrendo de Suas mãos e Seu rosto. Não conseguiu encarar os olhos de Jesus, não suportou olhar Seu corpo devastado pela dor. Não conseguiu aguentar o horror de tudo aquilo.

Acompanhemos Maria e as outras mulheres a caminho do túmulo para embalsamar o corpo de Cristo. O sol está nascendo. As trevas se dissipam. Os últimos dias foram marcados por decepção e sofrimento profundos. Suas esperanças se espatifaram em mil pedaços como uma garrafa de vidro arremessada contra a parede. Os discípulos haviam se isolado no cenáculo, como em uma quarentena autoimposta, cheios de medo e sem qualquer certeza quanto ao futuro.

Pense em Maria Madalena se aproximando do túmulo. A morte de Cristo havia despedaçado seus sonhos. Que pensamentos lhe passavam pela mente? Ela devia estar se perguntando como encontrar sentido nos acontecimentos dos últimos dias. Devia estar confusa, perplexa e chocada com tudo que havia acontecido naquelas últimas 48 horas. Mesmo assim, porém, deu um passo de fé e foi embalsamar Seu corpo.

As mulheres não tinham resposta para todas as perguntas. Estavam confusas quanto a muitos dos acontecimentos do fim de semana e, sem dúvida, não faziam ideia de como remover a pedra gigantesca que fechava o túmulo. Os guardas romanos certamente não estariam dispostos a ajudar nisso. Elas não faziam ideia de como o problema seria solucionado, mas sentiam o dever de cumprir sua parte e deixaram o resto nas mãos de Deus. Você não precisa ter todas as respostas para fazer aquilo que Deus coloca em seu coração.

Fé não significa que você entende tudo, mas que pode confiar em tudo o que Deus diz. Fé não é saber; é acreditar. Fé não é ter todas as respostas; é ter a confiança de que Deus ainda nos ama e está fazendo tudo para nosso bem, mesmo que não compreendamos quase nada.

A história da ressurreição de Jesus nos lembra de que, depois das trevas, o sol sempre aparece. A noite vira dia. Na hora das trevas mais profundas de sua vida, creia que Jesus, o Sol da justiça, brilhará em sua existência. Você não precisa entender. Apenas creia. Creia que Ele Se importa. Creia que Ele o ama. Creia que Ele tem o melhor em mente para você. Creia que a luz de Deus iluminará seu coração. Jesus é a luz do mundo e manda as trevas embora.

Há uma reviravolta estranha na história da ressurreição. Encontramos isso em João 20:11 a 17. "Maria, no entanto, permanecia junto à entrada do túmulo, chorando." Dois anjos perguntaram: 'Mulher, por que você está chorando?' Ela respondeu: 'Porque levaram o meu Senhor, e não sei onde O puseram.' Depois de dizer isso, ela se virou e viu Jesus em pé, mas não reconheceu que era Jesus." Existem muitas pessoas que sentem não saber onde ou como encontrar Jesus. O mais interessante é o seguinte: Maria estava procurando Jesus, mas Ele estava bem ao lado dela. Ele prometeu que nunca deixaria Seus filhos. "Não tenha medo, nem fique assustado, porque o Senhor, seu Deus, estará com você por onde quer que você andar" (Josué 1:9).

Em meio às lágrimas, Maria não enxergava Jesus, mas Ele estava bem perto dela. Onde está Cristo quando você tem a sensação de que não é possível encontrá-Lo? Onde Ele está quando sua vida espiritual secou e você se pergunta para onde Ele foi? Ele está bem a seu lado para fortalecê-lo, encorajá-lo e lhe dar esperança.

À primeira vista, parece estranho Jesus não ter aparecido primeiro para Pedro, Tiago, João e Mateus. Por que Ele apareceu para Maria? A resposta é simples: ela tinha a maior necessidade. Jesus sempre está conosco, mas, no momento de nossa maior necessidade, permanece bem perto de nós. A primeira lição transformadora da história da ressurreição é: Alegre-se! Cristo ressuscitou! A manhã raiou. As trevas se dissiparam. A esperança chegou.

Há uma segunda verdade eterna que não podemos perder de vista. O túmulo está vazio. A morte perdeu. A vida venceu. Satanás não conseguiu manter Jesus na sepultura. A ressurreição de Cristo aponta para o dia em que Jesus virá, e nossos entes queridos ressuscitarão também. É possível que você tenha perdido uma pessoa amada em tempos recentes. Assim como Maria Madalena, seus olhos podem ainda estar cheios de lágrimas, com o coração partido e no meio de um luto profundo. Mas não se esqueça de que a manhã da ressurreição comunica esperança. Essa realidade transmite coragem e fala de uma nova vida. Jesus tem o antídoto para o vírus do pecado. Ele morreu, vive e voltará por nós.

Todas as vezes que Jesus confrontou a morte no Novo Testamento, ela perdeu, e Ele venceu. Jesus encarou a morte na casa de Jairo, o chefe da sinagoga. Quando proferiu as palavras: "Menina, Eu digo a você: Levante-se!", a morte fugiu (Marcos 5:41). A morte perde seu poder na presença do Cristo vivo. Novamente, diante da sepultura de Lázaro, na presença do Autor da vida, a morte perdeu, e Jesus venceu. O túmulo não foi capaz de segurar o amigo do

Mestre quando Ele declarou: "Lázaro, venha para fora!" (João 11:43). E no sepulcro de Cristo, na manhã da ressurreição, a morte foi derrotada.

No túmulo de Cristo, naquela manhã da ressurreição, o maior inimigo foi derrotado, a mais terrível arma de Satanás foi destruída. A morte foi vencida. Agora nosso coração pode bater cheio de esperança. As palavras do apóstolo Paulo ecoam pelos corredores do tempo: "Eis que vou lhes revelar um mistério: nem todos dormiremos, mas todos seremos transformados, num momento, num abrir e fechar de olhos, ao ressoar da última trombeta. A trombeta soará, os mortos ressuscitarão incorruptíveis, e nós seremos transformados" (1 Coríntios 15:51, 52). A ressurreição de Jesus é a garantia eterna de que aqueles que creem e são transformados por Sua graça ressuscitarão no dia de Sua volta.

No túmulo do Cristo ressurreto, naquela manhã da ressurreição, nosso destino eterno foi selado. Afinal, sem a ressurreição, a vida eterna que Ele prometeu não poderia se cumprir. É por essa razão que os autores do Novo Testamento atribuem tanta ênfase à ressurreição. Eles a mencionam mais de 300 vezes. Naquela manhã da ressurreição, há 2 mil anos, Cristo triunfou sobre Satanás. A vida venceu a morte. A fé derrotou o medo. A esperança sepultou o desespero. É tempo de nos alegrar. Cristo ressuscitou! A morte perdeu o domínio sobre nós. Em breve, Jesus virá e nos levará para o lar.

Referências

1 Lauran Neergaard, "Second US study for COVID-19 vaccine uses skin-deep shots", disponível em <https://apnews.com/9015b2282aa259ffa413a548d1a1b37c>, acesso em 29 de maio de 2020.

2 Ellen G. White, *O Desejado de Todas as Nações* (Tatuí, SP: Casa Publicadora Brasileira, 2014), p. 753.

3 Josh McDowell, "Evidence For The Resurrection", p. 2, disponível em <https://www.josh.org/wp-content/uploads/Evidence-For-The-Resurrection.pdf >, acesso em 29 de maio de 2020.

4 Citado em MacDowell, "Evidence For The Resurrection", p. 3, disponível em <https://www.josh.org/wp-content/uploads/Evidence-For-The-Resurrection.pdf >, acesso em 29 de maio de 2020.

Para saber mais sobre o assunto deste capítulo, acesse este QR Code ou o link: adv.st/esperanca-3

Se você tiver alguma dúvida ou quiser conversar sobre esse tema, fale conosco pelo WhatsApp. Acesse agora: adv.st/queroesperanca

4

Um poderoso equipamento de proteção

No enfrentamento à pandemia, os riscos são variados e se multiplicam. Na linha de frente, os profissionais de saúde são os mais afetados. No caso deles, uma das maiores necessidades é usar equipamentos de proteção individual de forma correta.

Esses equipamentos são roupas protetoras, capacetes, luvas, escudos faciais, óculos, máscaras, respiradores, entre outros, destinados a proteger os profissionais de saúde da exposição a infecções ou doenças. Devido à possibilidade de transmissão pelo ar da Covid-19, é crucial que os profissionais de saúde tenham o equipamento necessário de proteção. Durante a crise, houve falta de equipamentos de proteção individual em algumas regiões e, por isso, muitos profissionais de saúde, médicos, residentes, enfermeiros e auxiliares de enfermagem contraíram a doença.

Proteção espiritual

Existe outra pandemia letal com um vírus ainda mais mortífero que o coronavírus. O vírus do pecado infectou toda a família humana. O propósito da verdadeira religião cristã é erradicar essa doença. Para isso, Deus providenciou EPIs espirituais com os quais podemos nos proteger. Ao nos relacionarmos com Deus por meio de Sua Palavra e pela oração, somos protegidos da agressividade maligna desse vírus e entramos no tratamento divino para a cura definitiva dessa que é a mais séria moléstia humana.

O apóstolo Paulo escreveu: "Porque a nossa luta não é contra o sangue e a carne, mas contra os principados e as potestades, contra os dominadores deste mundo tenebroso, contra as forças espirituais do mal, nas regiões celestiais. Por isso, peguem toda a armadura de Deus, para que vocês possam resistir no dia mau e, depois de terem vencido tudo, permanecer inabaláveis" (Efésios 6:12, 13). A armadura de Deus é nossa proteção contra o vírus do pecado. Quando os profissionais de saúde entravam no quarto de um paciente com o coronavírus, não pensavam em fazer isso sem algum tipo de roupa protetora. Todos os dias nós adentramos o território do mal. Sem a devida proteção, estaremos expostos a um verdadeiro desastre espiritual. Com a armadura de Deus, podemos prosperar nos momentos mais difíceis da vida. É o equipamento protetor que Ele nos oferece em momentos de provação. Esse equipamento ao mesmo tempo nos cura e protege das constantes investidas do inimigo contra nós.

Qual seria esse equipamento protetor dado por Deus no conflito entre o bem e o mal? O apóstolo Paulo nos dá uma pista em 2 Coríntios 10:4: "As armas da nossa luta não são carnais; mas poderosas em Deus, para destruir fortalezas." Quais são essas armas de Deus? Como podemos estar espiritualmente preparados para as crises que enfrentamos em nossa vida pessoal? Qual é a fonte de nossa força espiritual? Quais são os recursos que Deus nos concedeu para combater o vírus do pecado?

Uma das armas escolhidas por Deus é Sua Palavra. As Escrituras revelam: "A Palavra de Deus é viva e eficaz, e mais cortante do que qualquer espada de dois gumes, ela penetra até o ponto de dividir alma e espírito, juntas e medulas, e é apta para julgar os pensamentos e propósitos do coração" (Hebreus 4:12). A Bíblia é a Palavra viva de Deus. Por meio da atuação do Espírito Santo, ela ganha o coração e muda a vida. Outros livros podem até ser inspiradores, mas a Palavra de Deus é inspirada. Outros livros podem iluminar a mente, mas a Palavra de Deus não só nos ilumina; ela nos transforma.

Poder criativo

A Palavra inspirada de Deus contém princípios que transformam a vida. O poder criador da Palavra de Deus traz luz para a escuridão. Transforma-nos. Quando Deus proferiu Suas palavras na criação, nosso planeta passou a existir. Ele criou este mundo com Sua Palavra todo-poderosa. O salmista declara: "Os céus por Sua palavra se fizeram, e, pelo sopro de Sua boca, o exército deles. [...] Pois Ele falou, e tudo se fez; Ele ordenou, e tudo passou a existir" (Salmo 33:6, 9).

A Palavra de Deus tem o poder de criar. Quando Deus Se pronuncia, Ele traz à existência o que declarou, pois Sua palavra é poderosa.

A palavra audível que procede da boca de Deus cria matéria tangível. Paulo afirmou uma verdade extraordinária ao comentar o modo como Abraão e Sara tiveram um filho em sua velhice avançada: "Deus [...] chama à existência as coisas que não existem" (Romanos 4:17). Antes mesmo de Sara conceber o filho, Deus havia declarado que ela ficaria grávida. Esse pronunciamento divino se tornou realidade porque a palavra de Deus tem poder para realizar o que Ele declara.

Essa verdade maravilhosa é capaz de mudar a vida. O poder criador da palavra falada está na Palavra escrita. O poder da Palavra traz luz a mentes obscurecidas. O poder da Palavra sacia almas sedentas e alimenta corações famintos. Recria a alma à imagem de Deus. Fortalece-nos na batalha entre o bem e o mal. Quando Jesus foi tentado no deserto, confrontou Satanás diretamente com as palavras: "Está escrito: 'O ser humano não viverá só de pão, mas de toda palavra que procede da boca de Deus'" (Mateus 4:4). A Bíblia nutre nossa alma. Seus ensinos satisfazem nossos anseios mais profundos. Assim como o corpo é sustentado, satisfeito e fortalecido por alimentos saudáveis e nutritivos, nossa alma é sustentada, satisfeita e fortalecida pela Palavra de Deus.

Isso nos conduz a outra pergunta vital: A Bíblia é meramente um livro inspirador ou é um livro divinamente inspirado, concedido a nós pelo próprio Deus? Se a Bíblia é a revelação de Deus para toda a humanidade, então negligenciar seus ensinos nos coloca em perigo de perdas eternas. Se a Bíblia é simplesmente um documento humano inspirador, então ela teria pouco poder para transformar radicalmente nossa vida. Assim a dúvida sobre a inspiração da Bíblia tem importância crucial. Aliás, pode ser uma questão de vida ou morte. Analisemos as evidências.

A inspiração divina

O sol escaldante da Palestina atingia sem clemência o jovem árabe que cuidava de suas poucas ovelhas em uma região remota do Mar Morto. Era mais um dia comum para ele. Toda manhã, o jovem pastor conduzia as ovelhas em busca de pastagem pelas areias escaldantes do deserto. Ele não fazia ideia de que aquele dia mudaria o mundo.

Quando uma das ovelhas se desviou e entrou em uma caverna, o rapaz tentou assustá-la jogando uma pedra lá dentro. Para sua surpresa, escutou o som de cerâmica quebrando. Imaginou ter descoberto algum tesouro valioso escondido e saiu correndo para casa a fim de contar ao pai. O que descobriram na caverna naquele dia foi bem mais valioso do que as riquezas do passado. Lá, em uma região litorânea do Oriente Médio, em 1947, foram descobertos os Manuscritos do Mar Morto. Os vasos de barro da caverna continham um tesouro inestimável: os manuscritos mais antigos da Bíblia de que se tem notícia. Esses rolos foram escritos pela comunidade de Qumran cerca de 150 anos antes de Cristo. Os membros dessa comunidade eram chamados de essênios. Passavam horas copiando a Bíblia à mão.

Para garantir precisão, as regras de escrita eram extremamente rígidas. Alguns dos mais destacados eruditos bíblicos e especialistas em línguas bíblicas antigas se debruçaram sobre esses manuscritos por décadas. Esses rolos antigos testemunham com eloquência a precisão e confiabilidade da Bíblia. Somam-se aos Manuscritos do Mar Morto várias outras cópias do Antigo Testamento produzidas posteriormente. Quando todos esses manuscritos são comparados, encontra-se harmonia notável, testemunhando da precisão e correção de sua transmissão ao longo do tempo. Além dos manuscritos do Antigo Testamento, existem mais de 5.700 manuscritos antigos do Novo Testamento. A Bíblia já foi copiada e recopiada mais do que qualquer outro livro do mundo. A confiabilidade dessas cópias testemunha da inspiração divina da Bíblia.

De geração a geração

Ao longo de milênios, a Palavra de Deus tem sido transmitida com precisão de uma geração a outra. Desde o primeiro livro da Bíblia, Gênesis, até o último, Apocalipse, ela responde a nossas perguntas mais profundas e fala aos anseios mais íntimos do coração. A Bíblia foi escrita durante um intervalo de 1.500 anos, por mais de 40 autores. Muitos deles não se conheceram. Viveram em lugares diferentes, falaram línguas diferentes e foram produto de culturas diferentes.

Entretanto, cada um deles escreveu sob a inspiração do Espírito Santo. Por isso, os autores bíblicos apresentaram com clareza o plano eterno de Deus para a raça humana. Não há contradição temática nas Escrituras. Existe extraordinária unidade de pensamento e propósito entre todos os livros. O conteúdo da Bíblia reflete os pensamentos da mente divina. Expressões como "Disse Deus", "Assim diz o Senhor" e outras semelhantes ocorrem em muitas partes do livro sagrado. Os escritores da Bíblia acreditavam que eram inspirados por Deus, e as evidências internas de seus escritos revelam que as mensagens têm origem divina.

O cumprimento de numerosas profecias bíblicas evidencia a veracidade das Escrituras. A Bíblia contém cerca de 31 mil versos, e pouco mais de 8 mil dentre eles – mais de 25% – contêm profecia. Essas profecias são incrivelmente precisas, revelando nomes de nações e governantes. Apresentam detalhes minuciosos da vida de Cristo com antecedência. Veja alguns exemplos: a biografia de Cristo foi escrita centenas de anos antes de Seu nascimento.

Setecentos anos antes do primeiro Natal, o profeta Miqueias predisse que o Messias nasceria em Belém (veja Miqueias 5:2). Um decreto de César Augusto levou Maria e José para Belém exatamente na noite do nascimento de Cristo. Isso é extraordinário! Essa é apenas uma das profecias incríveis relativas ao nascimento, à vida, morte e ressurreição de Jesus. O livro de Números, escrito 1.500 anos antes, predisse que surgiria uma estrela no oriente em sinal do nascimento do Messias (veja Números 24:17). O ministério de Cristo é descrito em detalhes em Isaías 61:1 a 3. Sua morte, inclusive Sua crucifixão, é esboçada no Salmo 22 cerca de mil anos antes de acontecer. É surpreendente constatar que até mesmo o preço da traição – 30 moedas de prata – foi predito por Zacarias séculos antes de ocorrer (veja Zacarias 11:12, 13).

As profecias do Antigo Testamento revelam a ascensão e queda de nações, o destino de reis e governantes, bem como o futuro de nosso mundo com precisão minuciosa. O profeta Daniel predisse a ascensão de quatro grandes nações que dominariam o Oriente Médio e governariam o mundo conhecido na época: Babilônia, Pérsia (império medo-persa), Grécia e Roma, inclusive a divisão do império romano (veja Daniel 2; 7; 8).

Em Mateus 24, Jesus faz predições chocantes quanto aos últimos dias que estão se cumprindo agora. Essas são apenas algumas das profecias que demonstram com clareza a confiabilidade, veracidade e origem divina da santa Palavra de Deus.

Plano revelado

O principal propósito da Bíblia é revelar o plano eterno de salvação. A Bíblia contém história, mas não é, em primeiro lugar, um livro de história. Aborda as ciências, mas não é um livro didático de ciências. Apresenta vislumbres da mente humana, mas não é um tratado de psicologia. Embora a Palavra de Deus esbarre em diversas disciplinas, ela é, primariamente, a revelação da vontade de Deus. As Escrituras expressam verdades eternas para a humanidade. A Bíblia responde a três grandes perguntas da vida: "Por que estou aqui?", "De onde vim?" e "O que o futuro me reserva?" Seu texto confere esperança e coragem para cada um de nós.

O tema central da Bíblia é Jesus. Os profetas do Antigo Testamento falaram sobre Ele. Cada livro da Bíblia é uma revelação de Seu amor. Ao falar com os fariseus, Jesus declarou: "Vocês examinam as Escrituras, porque julgam ter nelas a vida eterna, e são elas mesmas que testificam de Mim" (João 5:39). O Antigo Testamento fala do Cristo que viria; o Novo

Testamento revela o Cristo que já veio. Toda a Bíblia "testemunha" de Jesus. Nas Escrituras, Jesus é o Cordeiro que foi morto, o Sacerdote vivo e o Rei vindouro. É Ele quem nos justifica, santifica e um dia nos glorificará. Jesus é nosso Salvador e Senhor perdoador, misericordioso, compassivo e transformador da vida.

Jesus é o grande realizador de milagres. Ele transforma a vida. Cristo afirmou: "As palavras que Eu lhes tenho falado são espírito e são vida" (João 6:63). O Espírito Santo usa os princípios da Palavra de Deus para impressionar as mentes receptivas com eles, fazendo-nos novas criaturas. Cristo está no centro de todos os ensinos bíblicos. É por isso que o apóstolo Paulo afirma com tanta clareza: "Se alguém está em Cristo, é nova criatura. As coisas antigas já passaram; eis que se fizeram novas" (2 Coríntios 5:17).

A Bíblia não é um mero manual sobre como construir a vida cristã. Pense em alguns dos símbolos da Palavra, que incluem luz, fogo, martelo, semente e pão. Essas imagens têm um elemento em comum: revelam o poder da Palavra de Deus para transformar nossa vida. A Palavra de Deus é como uma luz que nos guia pelos vales escuros de nossa vida. É como fogo que queima dentro da alma. É como martelo que quebra nosso coração duro. É como uma semente que cresce em silêncio até produzir o fruto do Espírito em nossa vida. É como pão que alimenta nossa fome espiritual.

Símbolos

O salmista Davi declara: "Lâmpada para os meus pés é a Tua Palavra, é luz para os meus caminhos" (Salmo 119:105). Ele também acrescenta: "A revelação das Tuas palavras traz luz e dá entendimento aos simples" (v. 130). A luz sempre expulsa a escuridão. Se você estiver sem luz em um caminho à noite, é fácil se perder. Não será difícil tropeçar e cair em um desfiladeiro profundo sem iluminação. Uma lanterna forte faz toda a diferença. A Palavra de Deus ilumina o caminho dos seguidores de Cristo. Ela nos guia para o lar. Jesus é a "luz do mundo" que nos dá claridade por meio de Sua Palavra (João 8:12). Quando repartimos a Palavra de Deus com os outros, ela dissipa as trevas com as quais Satanás havia envolto a vida deles e ilumina seu caminho para o reino de Deus.

Minha esposa e eu moramos a pouco mais de um quilômetro da igreja adventista que frequentamos. Muitas vezes, após os cultos noturnos, voltamos para casa caminhando. Nossa jornada para casa nos conduz por um caminho cheio de árvores, em meio a um bosque sem iluminação. Já houve ocasiões em que passamos por esse caminho quase que em escuridão total, e é difícil permanecer na trilha e encontrar o rumo certo. Aprendemos, por experiência própria, que ter uma lanterna faz toda a diferença. Com iluminação, a caminhada para casa é bem agradável. Sem a luz, tateamos em meio às trevas. Jesus anseia por nos levar para o lar e, por isso, Ele nos deu Sua Palavra como lâmpada para iluminar o caminho.

Em Jeremias 23:29, a Palavra de Deus é comparada tanto ao fogo quanto a um martelo. É assemelhada ao fogo porque consome. Quando lemos a Palavra de Deus, seu fogo queima dentro de nós, consumindo o erro. O processo de refinamento nem sempre é agradável, mas é necessário para remover as impurezas de nosso caráter. A Palavra de Deus também é um martelo. O martelo da Palavra de Deus quebra corações endurecidos em pedacinhos. Pense nas mudanças drásticas que aconteceram na vida dos endemoniados, do centurião romano, do ladrão na cruz e de tantos outros no Novo Testamento. A Palavra de Deus golpeou seu coração endurecido até se quebrarem diante do martelo do amor.

Um dos símbolos mais comuns das Escrituras compara a Bíblia a uma "semente". Em Lucas 8:11, Jesus declara: "a semente é a palavra de Deus". Existe vida em uma minúscula semente. Quando a Palavra de Deus é plantada no solo da mente, produz uma colheita abundante de vida. Jesus usou o símbolo da semente com frequência para descrever o crescimento de Seu reino. A Palavra de Deus espalhada como semente pelo mundo produzirá colheita fértil. Jesus expande esse tema em uma de Suas parábolas agrícolas. "O Reino de Deus é como um homem que lança a semente na terra. Ele dorme e acorda, de noite e de dia, e a semente germina e cresce, sem que ele saiba como" (Marcos 4:26, 27).

A Palavra de Deus pode parecer que está enterrada em algum lugar da mente. Pode parecer coberta debaixo do solo do pecado, mas, se for cuidada, brotará em nova vida. Mudará radicalmente nossas atitudes, nossas conversas e nosso estilo de vida. A semente dá vida. Podemos não ver a semente crescer, mas ela se desenvolve em nosso coração para produzir resultados vivificadores.

A Bíblia também usa o termo "pão" para descrever a Palavra de Deus. Jesus disse: "Eu sou o pão da vida" (João 6:35). E acrescentou: "O ser humano não viverá só de pão, mas de toda palavra que procede da boca de Deus" (Mateus 4:4). O pão era o esteio básico da vida em todo o mundo antigo e é um alimento presente em todas as culturas. É um dos itens fundamentais na alimentação. Uma pessoa é capaz de sobreviver por muito tempo somente com pão e água. Ao usar a ilustração do pão, Jesus declara que Ele é essencial para a vida.

Em Seu conhecido sermão sobre o pão da vida, Jesus declarou: "Quem come a Minha carne e bebe o Meu sangue tem a vida eterna" (João 6:54).

Parece uma declaração muito estranha. A que Jesus poderia estar Se referindo? Fica claro que Ele não estava falando sobre comer a Sua carne e beber Seu sangue no sentido literal. Quando nos banqueteamos com Sua Palavra, Seus ensinos se tornam parte de nossa vida. Foi isso que Jeremias quis dizer quando declarou com alegria: "Achadas as Tuas palavras, logo as comi. As Tuas palavras encheram o meu coração de júbilo e de alegria, pois sou chamado pelo Teu nome, ó Senhor, Deus dos Exércitos" (Jeremias 15:16). Antes de pronunciar essas palavras, Jesus havia alimentado fisicamente mais de 5 mil pessoas.

Assim como uma boa fatia de pão integral, a Palavra de Deus satisfaz nossa fome oculta. Você já observou que os produtos refinados não satisfazem nem preenchem o estômago? A Palavra de Deus é o sustento da vida. Nutre o coração. E claro: as Escrituras são como um gole refrescante de água pura. Satisfazem por completo. Não existe nada tão recompensador quanto descobrir a verdade sobre Jesus em cada ensino da Bíblia. Quando descobrimos essas verdades maravilhosas sobre Jesus, somos abençoados sem medida.

Palavra indestrutível

Há séculos, os inimigos da Bíblia tentam destruir sua credibilidade. O objetivo deles é usar argumentos supostamente sofisticados para desconstruir a fé na Palavra de Deus. Apesar de todas essas tentativas, a Bíblia continua a ser o livro mais vendido de todos os tempos. Estima-se que, a cada ano, 100 milhões de exemplares sejam vendidos ou doados. Mais de 5 bilhões de exemplares da Bíblia já foram publicados em centenas de idiomas.

O filósofo francês Voltaire, nascido em 1694, era um crítico ferrenho do cristianismo. Ele acreditava que a Bíblia estava cheia de "absurdos" e que a sociedade vivia o "crepúsculo do cristianismo". Ele deixou inúmeras cartas e 200 livros. Parte significativa de seus escritos representava ataques ferozes à fé cristã e à Bíblia. Conta-se que, perto do fim de sua vida, Voltaire declarou que seus escritos tomariam o lugar da Bíblia. Também acreditava que, em 100 anos, as Escrituras seriam uma relíquia do passado, prestes a ser esquecida. Vinte e cinco anos após sua morte (30 de maio de 1778), porém, os prelos que haviam publicado as obras dele eram usados para imprimir Bíblias.

Há outro aspecto interessante dessa história. O doutor em Filosofia e Teologia Daniel Merritt fez uma pesquisa detalhada sobre Voltaire e conta que Henri Tronchin, que atuou como presidente da Sociedade Bíblica de Genebra de 1834 a 1839, morou na antiga casa de Voltaire. Impressas no mesmo prelo que no passado imprimiram os livros de Voltaire, as Bíblias eram armazenadas na própria casa que antes pertencera ao filósofo. Menos de

100 anos depois da morte de Voltaire, sua casa foi ocupada pelo presidente da Sociedade Bíblica de Genebra.[2]

Que reviravolta extraordinária! Isso nos lembra da declaração de Jesus em Mateus 24:35: "Passará o céu e a terra, porém as Minhas palavras não passarão." O profeta Isaías escreveu: "A erva seca e as flores caem, mas a palavra do nosso Deus permanece para sempre" (Isaías 40:8). A Bíblia já foi difamada, criticada, ridicularizada, rasgada e queimada, porém permanece, e isso testemunha de sua autoria divina. Ela fala de graça, misericórdia, perdão e vida nova a cada geração.

Vidas transformadas

O maior testemunho da inspiração da Bíblia é sua habilidade, pelo poder do Espírito Santo, de transformar vidas por completo. Permita-me compartilhar com você a história de Chen. Como ateu, ele acreditava que os cristãos não passavam de camponeses ignorantes, incultos e sem opinião própria.

Certo dia, em 1992, Chen voltou para casa de férias após um período de serviço militar e descobriu que sua esposa havia se tornado adventista do sétimo dia. Entre 1991 e 1993, houve um reavivamento provocado pelo Espírito Santo no nordeste da China. Em uma cidade, foram batizadas entre 2 a 3 mil pessoas por ano. Quando Chen ficou sabendo que sua mulher era cristã e acreditava na Bíblia, ficou furioso. Sua ira transbordou. Gritou com ela, a ameaçou e intimidou.

Então, a esposa contraiu uma infecção grave no olho e precisou fazer uma cirurgia. Ele ficava assentado ao lado dela no leito do hospital por horas todos os dias. Quando ela começou a se recuperar, passou a ler a Bíblia com o olho bom, cobrindo o outro. O médico sugeriu que ela repousasse os dois olhos, mas a mulher sentia que precisava da força da Palavra de Deus. Desesperado, o marido disse: "Já é horrível ter uma esposa cristã. Não quero você cega também! Pode me dar esse livro aqui que eu leio para você."

Ela pediu a ele que lesse Jó. Quanto mais lia, mais interessado ficava. Ficou pasmo com a fé que Jó demonstrou. Não conseguia entender como alguém que passou por tantas dificuldades e enfrentou provas tão intensas era capaz de confiar em Deus. Quando chegou ao fim do livro de Jó, ficou ainda mais surpreso ao descobrir que Deus havia transformado a tragédia de Jó em triunfo: "O SENHOR restaurou a sorte de Jó quando este orou pelos seus amigos, e o SENHOR lhe deu o dobro de tudo o que tinha tido antes. [...] O SENHOR abençoou o último estado de Jó mais do que o primeiro" (Jó 42:10, 12).

Chen continuou a ler a Bíblia em segredo quando a esposa saía do quarto para fazer os tratamentos. Não conseguindo mais resistir, lá mesmo no quarto do hospital se rendeu ao chamado de Cristo. Hoje ele é pastor, prega a Palavra de Deus com poder e aprecia a Bíblia, que um dia desprezou. As verdades transformadoras da Palavra de Deus fizeram toda a diferença na vida de Chen.

A Bíblia fala a pessoas de todas as culturas, origens e línguas. Oferece esperança em tempos turbulentos a qualquer um que a lê. O convite do Céu é para que você leia a Palavra de Deus. Permita que a beleza das Escrituras inunde sua alma. Encontre um lugar tranquilo e deixe o Espírito Santo mover sua vida. Sinta de maneira renovada o poder da Palavra de Deus. Ela transformou a vida de Chen e pode mudar a sua também.

Referências

[1] André Miranda, "Com novas versões a cada mês, o mercado de Bíblias continua no topo", *O Globo*, disponível em <https://oglobo.globo.com/sociedade/religiao/com-novas-versoes-cada-mes-mercado-de-biblias-continua-no-topo-18098150>, acesso em 29 de maio de 2020.

[2] Daniel Merritt, "Update: Voltaire's Prediction, Home, and the Bible Society: Truth or Myth? Further Evidence of Verification", disponível em <https://bellatorchristi.com/2019/03/20/update-voltaires-prediction-home-and-the-bible-society-truth-or-myth-further-evidence-of-verification/>, acesso em 29 de maio de 2020.

Para saber mais sobre o assunto deste capítulo, acesse este QR Code ou o link: adv.st/esperanca-4

Você deseja saber mais sobre outros temas? Acesse agora: adv.st/queroesperanca

5

Permaneça saudável em
um planeta doente

As doenças não só debilitam o corpo, como também transtornam a mente. Quando estamos doentes, é muito mais fácil sentir desânimo e até mesmo depressão. Você já ficou doente uma semana inteira? Como se sentiu? Algumas pessoas infectadas com a Covid-19 relatam sintomas físicos avassaladores, que incluem febre alta com calafrios, dor muscular intensa, tosse persistente, falta de ar, dor de garganta, dores de cabeça violentas e fadiga.

Uma das grandes consequências dessa pandemia foi sofrer a doença em solidão, por causa do alto grau de contágio do vírus. No auge da pandemia, os familiares tinham grande dificuldade em prover o cuidado necessário para seus enfermos.

O mais trágico é que algumas pessoas chegaram a morrer sozinhas em quartos de hospital, isoladas da família. É extremamente difícil sofrer os sintomas avançados da Covid-19 por semanas e meses, mas e se você ficasse doente por 12 anos? E se você sentisse dor constante, fosse excluído e separado da família ano após ano? O evangelho de Marcos registra a história de uma mulher que sofreu com uma enfermidade por 12 longos anos e teve que viver em uma espécie de quarentena durante todo esse tempo.

"Estava ali certa mulher, que, havia 12 anos, vinha sofrendo de uma hemorragia" (Marcos 5:25). Ela tinha hemorragia contínua. Suas roupas ficavam manchadas por esse fluxo de sangue incessante. Ela estava cansada, exausta, esquálida e fraca. O pior de tudo é que não podia mais sentir o abraço caloroso dos outros. Não podia mais desfrutar o toque de uma criança. Sentia-se desanimada, deprimida e desesperada. Queria ficar bem. Ansiava pela cura, mas nada parecia dar certo.

O evangelho de Marcos relata o seguinte: "Ela havia padecido muito nas mãos de vários médicos" (v. 26). Aqueles que deveriam ajudá-la só causavam mais dano. A cura que eles ofereciam só a fez piorar. Havia gastado, naquelas supostas curas, todas as economias juntadas com esforço.

Ela estava não apenas desesperada, como também desprovida de qualquer esperança; não apenas desanimada, mas em angústia total. Trevas envolviam sua vida. Tinha gastado o dinheiro com os médicos, que só pioravam sua situação.

No entanto, ela encontrou Jesus, o Médico dos médicos. Uma multidão imensa cercava o Salvador. Enquanto Ele andava devagar pela estrada estreita e pedregosa, centenas de pessoas O pressionavam e O apertavam. A pobre mulher tentava a todo o custo se aproximar o suficiente para receber cura. Jesus havia feito milagres em favor de outras pessoas. Faria por ela também? O evangelho de Marcos revela o desespero dela com as seguintes palavras: "Se eu apenas tocar na roupa Dele, ficarei curada" (v. 28).

Como médico, Lucas deixa nítida a terrível condição de saúde daquela mulher. No capítulo 8 de seu evangelho, ele diz: "Sem que ninguém a pudesse curar" (v. 43). Nenhuma terapia podia ser encontrada para ela. Nada do que ela havia tentado tinha funcionado. Jesus era sua última e única esperança de auxílio. Se Ele não pudesse ajudá-la, estaria condenada a uma vida de dor constante. Ela abriu caminho em meio à multidão, crendo que, se tão somente tocasse a barra da roupa de Cristo, seria curada.

Depois de muito tentar, ela foi capaz de estender a mão e tocar rapidamente a barra das vestes de Jesus. Naquele toque, ela resumiu toda a sua esperança. E Jesus percebeu isso. Poder de cura fluiu para o corpo daquela mulher. A doença foi embora. Ela foi milagrosamente curada.

Então Jesus lhe fez uma declaração notável: "Filha, a sua fé a curou! Vá em paz" (v. 48, NVI). Ela não era apenas um rosto sem nome no meio da multidão. Não era uma mera estatística humana. Jesus a chama de filha. E a incentiva com as palavras: "A sua fé a curou! Vá em paz" (v. 48, NVI).

A palavra para "curou" ocorre muitas vezes no Novo Testamento com sentido de "salvar". Jesus declarou que aquela mulher estava plena novamente. A fé que ela demonstrou se apropriou da realidade da divindade de Cristo. Em Sua misericórdia amorosa, Ele estendeu graça àquela mulher desesperada, desprovida de esperança e a fez ficar bem novamente. Ela foi curada física, mental, emocional e espiritualmente. Essa é a obra de Jesus. Nossa saúde total é importante para Jesus porque somos importantes para Ele. Cristo deseja que tenhamos a vida mais plena possível neste mundo de doença, sofrimento e morte.

Restauração

O objetivo de Jesus é restaurar Sua imagem na humanidade por meio do evangelho. Essa restauração inclui nossa cura física, mental, emocional e espiritual. Em João 10:10, Jesus revelou Seu plano para cada um de nós: "O ladrão vem somente para roubar, matar e destruir; Eu vim para que tenham vida e a tenham em abundância." O diabo quer destruir nossa saúde, ao passo que Jesus deseja restaurá-la. O diabo quer nos desanimar; Jesus quer nos encorajar. O diabo quer nos destruir; Jesus quer nos edificar. O diabo quer que fiquemos doentes; Jesus deseja nossa saúde. Jesus está interessado em nossa vida como um todo. Anseia que estejamos fisicamente saudáveis, mentalmente despertos e espiritualmente bem. Isso é verdade sobretudo à luz de Seu breve retorno.

O mundo está enfrentando uma crise enorme. As predições de Jesus em Mateus 24 e Lucas 21 falam de condições catastróficas na Terra pouco antes do retorno de Cristo. Esses eventos assolarão o planeta e serão uma surpresa estarrecedora para quem estiver despreparado.

O apóstolo Paulo destaca a necessidade de a santidade envolver nossa vida toda: "O mesmo Deus da paz os santifica em tudo. E que o espírito, a alma e o corpo de vocês sejam conservados irrepreensíveis na vinda de nosso Senhor Jesus Cristo" (1 Tessalonicenses 5:23). Nesse texto, a palavra "espírito" refere-se a atitudes e emoções. Em nosso idioma, seguimos essa tendência, por exemplo, ao dizermos que alguém tem "o espírito calmo". Quando usamos essa expressão nesse sentido, estamos falando da atitude da pessoa e da forma como ela lida com as emoções.

Por sua vez, a palavra "alma" se refere aos aspectos mentais e cognitivos, considerando que "alma" é a tradução do termo grego *psyché*, expressão da qual derivam palavras como psicologia e psiquiatria. É a parte racional de nosso ser, a qual processa as informações que recebemos pelos sentidos.

O "corpo" no texto é uma referência clara à nossa natureza física. Jesus almeja que cada aspecto de nossa natureza seja santificado mediante o poder de Seu Espírito. O apóstolo Paulo enfatiza esse pensamento também na epístola aos Romanos. "Com os olhos bem abertos para as misericórdias de Deus, eu lhes imploro, meus irmãos, que, como ato de *adoração inteligente*, ofereçam o próprio *corpo* em sacrifício vivo, consagrado a Ele e aceito por Ele. Não permitam que o mundo a seu redor os faça caber no molde dele, mas que Deus os refaça a fim de que toda a atitude da *mente* de vocês seja transformada. Assim vocês experimentarão na prática que a vontade de Deus é boa, aceitável para Ele e perfeita" (Romanos 12:1, 2, tradução livre da versão Phillips; itálico acrescentado).

Percebe a ênfase do apóstolo no indivíduo como um todo? Ele fala de adoração, corpo e mente. Cuidar do corpo é um ato de adoração inteligente. Afinal, fomos feitos por Deus e, ao cuidar do corpo, estamos O honrando como nosso Criador.

Na criação, Deus cercou Adão e Eva com todos os elementos necessários para que tivessem saúde excelente. Riachos transparentes e fontes caudalosas lhes proporcionavam água pura. Frutas, castanhas, grãos, legumes e verduras cresciam com fartura. A alimentação natural que Deus oferecia era repleta de nutrientes completos. Enquanto nossos primeiros pais se exercitavam expostos ao sol e ar fresco, seu corpo mantinha a saúde com a qual Deus os havia criado. À noite, caía um orvalho refrescante e, a cada dia, eles descansavam no amor e cuidado de Deus. No sétimo dia, o sábado, eles experimentavam uma confiança mais profunda no Criador ao adorá-Lo no dia especial que Ele havia separado para adoração.

Nossos primeiros pais viviam em um mundo livre de estresse, ansiedade e doenças. Paz e felicidade caminhavam lado a lado. Seu coração transbordava com amor a Deus e um pelo outro. Deus tem a intenção de que descubramos os princípios do Éden para guiar nossa vida hoje. A criação não foi um mero ato de Deus realizado há milênios. Foi um modelo de como devemos viver. O Senhor não Se interessa apenas por nossa decisão no campo espiritual. Ele está interessado em nossa saúde física e emocional também. Há uma relação íntima entre nosso bem-estar físico e espiritual. O apóstolo João expressa essa realidade de forma sucinta: "Amado, peço a Deus que tudo corra bem com você e que esteja com boa saúde, assim como vai bem a sua alma" (3 João 2).

Em busca de plenitude

Ao longo dos últimos 25 anos, houve um renascimento significativo do conceito de cuidado do indivíduo como um todo. Desde 1948, a Organização Mundial da Saúde define o termo "saúde" como um estado de bem-estar físico, mental e social completo. Muita gente também reconhece a necessidade de saúde espiritual. Diversos estudos relativos ao impacto da religião sobre a saúde têm sido publicados. Um número crescente de evidências científicas confirma a precisão dos ensinos bíblicos sobre saúde. Doenças degenerativas decorrentes de hábitos negativos no estilo de vida estão em franca ascensão. Problemas cardiovasculares, AVC e câncer estão no topo da lista de doenças letais que ceifam prematuramente a vida de pessoas. O que indica a maioria das pesquisas científicas? Para onde apontam as descobertas? Existem três áreas específicas nas quais a fé pode fazer uma diferença radical em sua saúde.

1. A fé leva as pessoas a fazerem escolhas mais saudáveis.

Cristãos comprometidos com a fé não fumam nem fazem uso do álcool e de outras drogas prejudiciais. Em geral, pessoas assim se exercitam mais, têm uma alimentação saudável e cuidam do próprio descanso. Quando o indivíduo crê que foi criado por Deus e que seu corpo é templo do Espírito Santo, suas escolhas na área da saúde são mais positivas. Elas se orientam pelas palavras do apóstolo Paulo em 1 Coríntios 10:31: "Portanto, se vocês comem, ou bebem ou fazem qualquer outra coisa, façam tudo para a glória de Deus." Pessoas de fé são mais conscientes da própria saúde e escolhem levar uma vida mais saudável.

Talvez você esteja se perguntando quais seriam essas escolhas de saúde e como você pode melhorar a sua. Recentemente, a Universidade Harvard realizou um estudo de larga escala a fim de averiguar quais hábitos de saúde levam as pessoas a viver mais tempo. Descobriu-se o seguinte: a manutenção de cinco hábitos de saúde pode acrescentar até dez anos à vida! Veja a seguir os hábitos simples que aumentarão sua expectativa de vida: alimentação saudável, prática regular de exercícios, manutenção de um peso corporal saudável, não beber álcool e não fumar.

Manter esses hábitos durante a idade adulta pode acrescentar cerca de uma década à expectativa de vida, de acordo com a pesquisa realizada pela Faculdade de Saúde Pública T. H. Chan, da Universidade Harvard, em abril de 2019. Os pesquisadores também concluíram que homens e mulheres norte-americanos com estilo de vida mais saudável tinham uma probabilidade 82% menor de morrer de doenças cardiovasculares e chance 65% menor de morrer de câncer, em comparação com pessoas que adotam um estilo de vida menos saudável.[1]

Analisemos esses fundamentos da boa saúde com um pouco mais de atenção. Um fator crucial para se proteger da Covid-19 e de outras doenças também é o fortalecimento do sistema imunológico. Esse sistema é formado por uma rede complexa de células e proteínas que defendem nosso corpo de infecções e doenças. Se você desenvolver um sistema imunológico robusto, não só diminuirá o risco de contrair o vírus, como também, se pegá-lo, tenderá a manifestar sintomas mais leves, e a duração da doença será menor. Existem maneiras eficazes de nos proteger e fortalecer nossa imunidade.

a) *Cultive uma alimentação saudável*: A nutrição é vital como estratégia de prevenção às doenças e como ferramenta de cura. Frutas, verduras, legumes e grãos integrais reduzem a inflamação e melhoram a função circulatória. As plantas estão repletas de fitoquímicos protetores que promovem a saúde e neutralizam o estresse oxidante das infecções e de outras doenças. Diminuem a inflamação nos pulmões e aumentam a saúde da rede de vasos sanguíneos, garantindo o suprimento necessário de sangue.

Em contrapartida, as proteínas animais contêm substâncias inflamatórias que minam o sistema imunológico do corpo. Alimentos de origem vegetal, que incluem grãos, feijões, legumes e verduras, fornecem os blocos construtores que fazem os vasos sanguíneos trabalharem melhor. É muito bom também que o prato seja preenchido com alimentos de várias cores, garantindo a presença de todos os nutrientes necessários tanto para a prevenção quanto para recuperação. Além disso, evite seriamente o açúcar, pois ele prejudica o funcionamento dos glóbulos brancos do sangue, que desempenham uma função vital no combate a substâncias invasoras.

b) *Beba bastante água*: A água protege o corpo da desidratação, permitindo que cada célula funcione e lute em seu nível máximo de desempenho. É um elemento fundamental para o desenvolvimento de nosso sistema imunológico. Beba muita água! Quanto? Pelo menos oito copos por dia. Outra forma de monitorar seu consumo é beber o suficiente para que a urina tenha um aspecto transparente. Não se esqueça de terminar a meta diária de água antes das 18h, para não sofrer interrupções em seu sono noturno e comprometer seu período de descanso vital.

c) *Respire ar puro e faça exercícios*: O exercício físico também é muito importante. É recomendável, sempre que possível, que seja realizado ao ar livre. As pessoas que caminham rapidamente pelo menos cinco vezes por semana durante um mínimo de 30 minutos têm melhor condição de saúde e vivem mais tempo do que aquelas que não se exercitam. A prática de exercícios é extremamente útil para afastar doenças.

Procure sair ao ar livre todos os dias, respire profundamente e caminhe com a cabeça ereta e os ombros alinhados. Se você mora em uma grande cidade, procure um parque que tenha árvores e arbustos. Não é saudável respirar o ar poluído das ruas congestionadas de nossos centros urbanos. As árvores e plantas são cheias de vida e têm propriedades que melhoram a saúde. Exponha-se à luz solar, que é fonte natural de vitamina D. Quantidade moderada de sol faz bem e aumenta a imunidade. É possível começar a alcançar esses benefícios com apenas 15 minutos de exposição diária.

d) *Descanse o suficiente*: Um dos princípios dados por Deus para uma boa saúde é o descanso. Quando estamos doentes, nosso corpo se recupera melhor se há descanso. Mesmo depois de achar que já estamos curados, é melhor ser cautelosos e descansar por mais alguns dias. Isso pode ter importância especial no caso da Covid-19, pois não sabemos ao certo quando a recuperação acontece. O descanso é parte importante de qualquer bom plano para uma vida saudável. Aliás, foi por isso mesmo que

Deus nos concedeu o sábado a cada semana. Esse dia especial é uma fonte de descanso de todas as fontes de estresse da vida.

e) *Evite tabaco, álcool, drogas prejudiciais e estimulantes:* O mau hábito do fumo está ligado a centenas de milhares de mortes por ano. É um grande fator de risco para doenças do coração, câncer de pulmão, diabetes tipo 2 e uma série de outras doenças causadas pelo estilo de vida. Enfraquece o sistema imunológico, provoca periodontite, aumenta o risco de infertilidade e é uma das causas de trombos.

O álcool é um dos grandes causadores de morte prematura. Causa alguns tipos de câncer, doenças cardíacas e danos ao fígado. Assim como o tabaco, é perigosamente viciante. O excesso de álcool leva à depressão e a diversas tragédias evitáveis, como acidentes de carro e outras coisas. Segundo uma classificação feita no Reino Unido, o álcool é a droga mais perigosa do mundo.[2] De fato, não existe nível seguro de consumo de bebidas alcoólicas.

Um dos maiores problemas com o álcool é que ele afeta o lobo frontal do cérebro, onde estão a consciência, o raciocínio e o julgamento. Isso prejudica o processo de tomada de decisões. O Espírito Santo Se comunica com nosso lobo frontal, nos orientando a tomar decisões positivas de estilo de vida, a fim de que entendamos mais plenamente a Palavra de Deus e sigamos Sua verdade de forma mais completa. O álcool prejudica esse processo e nos torna menos sensíveis à vontade revelada do Senhor.

Embora talvez não consigamos evitar ficar doentes, podemos colocar nosso sistema imunológico na melhor posição possível para combater as doenças. Temos condições de fortalecer nosso sistema imunológico a fim de que ele lute contra as enfermidades.

2. A fé também leva as pessoas a serem mais otimistas e positivas.
Essa atitude positiva também ajuda a reduzir o estresse e a hipertensão. Pessoas de fé são mais pacíficas e têm uma disposição mais calma. O boletim informativo da área de medicina da Universidade de Rochester relata:

"A ideia de que o otimismo leva a uma melhor condição de saúde foi estudada. Os pesquisadores revisaram os resultados de mais de 80 estudos em busca de descobertas em comum. Concluíram que o otimismo exerce impacto considerável sobre a saúde física. O estudo examinou a longevidade geral, sobrevivência após doença, saúde do coração, imunidade, resultado do tratamento de câncer, sucesso gestacional, tolerância à dor e outros temas relativos à saúde. Tudo indica que as pessoas com perspectiva mais otimista se saíram melhor e tiveram resultados superiores aos pessimistas. A lição é que ter uma atitude positiva pode melhorar sua saúde física, independentemente do que esteja adoecendo você.[3]

A fé leva à confiança profunda em Deus. A confiança em Deus conduz a uma perspectiva mais otimista e positiva em relação à vida, pois você sabe que Ele Se importa e está sempre buscando seu melhor. Essa consciência da presença de Deus em sua vida promove cura física e emocional.

3. A fé leva as pessoas a frequentarem mais a igreja. Uma rede de apoio maior e um senso de comunidade contribui para uma sensação maior de bem-estar.

Estudos têm comprovado que frequentadores de cultos religiosos apresentam risco significativamente menor de morte em comparação com quem nunca frequenta ou frequenta mais raramente uma igreja, mesmo se forem ajustados elementos como idade, comportamento de saúde e outros fatores de risco.[4]

A Palavra de Deus reforça as informações apresentadas nessas pesquisas. Em Hebreus 10:23 a 25, a Bíblia compartilha esse benefício positivo de ir à igreja: "Guardemos firme a confissão da esperança, sem vacilar, pois quem fez a promessa é fiel. Cuidemos também de nos animar uns aos outros no amor e na prática de boas obras. Não deixemos de nos congregar, como é costume de alguns. Pelo contrário, façamos admoestações, ainda mais agora que vocês veem que o Dia se aproxima."

Analisemos sucintamente esse conselho divino e, em seguida, vamos compará-lo às pesquisas citadas. Nossa passagem bíblica incentiva os cristãos a se reunir e:

a. *Considerar uns aos outros.* Em outras palavras, procurem entender as circunstâncias de vida uns dos outros. Compreendam os sentimentos dos outros. Conforme o apóstolo Paulo afirma em Gálatas: "Levem as cargas uns dos outros e, assim, estarão cumprindo a lei de Cristo" (Gálatas 6:2). Alguém já afirmou: "Qualquer um envolto em si mesmo vem em um pacote bem pequeno." E é verdade. Uma comunidade de fé nos permite assumir relacionamentos altruístas com as pessoas. Essa atitude de consideração uns pelos outros é saudável tanto para quem compartilha a própria vida quanto para quem recebe o compartilhamento abnegado.

b. Incentivar ao amor. Ou motivar, inspirar, erguer uns aos outros. O encontro para adorar, estudar a Palavra de Deus e orar juntos dá uma oportunidade para que motivemos uns aos outros e nos ergamos.

c. Encorajar uns aos outros. Não há nada como uma palavra de ânimo para elevar o espírito de alguém. Acima de tudo, a igreja deve ser um lugar de encorajamento e esperança. Como você se sente quando alguém elogia você? Esse ato alegra e traz ânimo à vida. Pensamentos sadios e positivos transmitem vida.

Como fazer mudanças positivas

Talvez você esteja se perguntando: "Como fazer mudanças positivas em minha vida? Onde posso encontrar forças para implementar boas práticas de saúde? Já tentei e falhei no passado." O segredo para mudar está em unir nossa vontade fraca à força todo-poderosa de Cristo. Podemos até ser fracos, mas Ele é forte. Podemos ser frágeis, mas Ele tem poder infinito. Sozinhos, não conseguimos, mas Nele tudo podemos. E começa com nossa escolha pessoal. Quanto mais damos desculpas para nosso comportamento, mais criamos barreiras para o êxito.

Muitos, após experimentar alguns reveses e fracassos, desistem emocionalmente e param de tentar. Acreditam que, por ter fracassado anteriormente, jamais terão sucesso. Em outras palavras, continuam a ver uma barreira na mente, mesmo que ela não exista.

Ao escolher mudar, Cristo imediatamente vem em socorro para quebrar as barreiras e dar a força de que precisamos. As desculpas nos impedem de receber Seu poder. Às vezes, construímos barreiras dentro de nossa mente. Pensamos em todas as razões que tornam a mudança tão difícil.

Vemos as impossibilidades, mas o Senhor é um Deus de possibilidades. Ele é o Deus capaz de abrir caminho quando não vemos saída. É o Deus do impossível, que torna possível o impossível. O apóstolo Paulo faz a seguinte oração em Efésios 3:20 e 21: "Àquele que é poderoso para fazer infinitamente mais do que tudo o que pedimos ou pensamos, conforme o Seu poder que opera em nós, a Ele seja a glória, na igreja e em Cristo Jesus, por todas as gerações, para todo o sempre. Amém!" O que Deus é capaz de fazer? "Infinitamente mais do que tudo o que pedimos ou pensamos."

Talvez não entendamos como a mudança acontece, mas há algo de que sabemos: Deus pode.

Talvez nossa mente não consiga compreender como Ele é capaz de nos transformar em uma nova pessoa, mas há algo que sabemos: Deus pode.

Talvez nosso coração não entenda como Ele é capaz de fortalecer nossa falta de força de vontade, mas há algo que sabemos: Deus pode.

Talvez não pareça possível, mas Deus pode.

Talvez não pareça lógico, mas Deus pode.

Talvez não pareça provável, mas Deus pode.

Quando decidimos fazer a escolha de viver em harmonia com as leis do Criador e dar glórias a Ele com nosso estilo de vida, recebemos poder do alto para realizar nossa vontade. Nosso Criador cria dentro de nós a nova vida que escolhemos viver quando nos comprometemos com Ele.

Referências

1 Todd Datz, "Following five healthy lifestyle habits may increase life expectancy by decade or more", disponível em <https://www.hsph.harvard.edu/news/press-releases/five-healthy-lifestyle-habits/>, acesso em 29 de maio de 2020.

2 David J. Nutt, Leslie A. King e Lawrence D. Phillips, "Drug Harms in the UK: A Multicriteria Decision Analysis", *The Lancet*, v. 376, nº 9.752 (novembro de 2010), p. 1558-1565.

3 Beth Holloway e Gail Nelson, "Can Optimism Make a Difference in Your Life?", *Health Encyclopedia*, Universidade de Rochester, disponível em <https://www.urmc.rochester.edu/encyclopedia/content.aspx?contenttypeid=1&contentid=4511>, acesso em 29 de maio de 2020.

4 Ver, por exemplo, R. F. Gillum, Dana E. King, Thomas O. Obisesan, Harold G. Koenig, "Frequency of Attendance at Religious Services and Mortality in a U.S. National Cohort", *Annals of Epidemiology*, v. 18, nº 2 (fevereiro de 2018), p. 124-129, disponível em <https://www.ncbi.nlm.nih.gov/pmc/articles/PMC2659561/>, acesso em 29 de maio de 2020.

Baixe o aplicativo
Encontre uma Igreja,
disponível para iOS e Android.

Para saber mais sobre o assunto deste capítulo, acesse este QR Code ou o link:
adv.st/esperanca-5

Você deseja saber mais sobre outros temas?
Acesse agora:
adv.st/queroesperanca

6

Depois de tudo isso

À medida que o mundo passa freneticamente pelo século 21, você já parou para pensar em qual é nossa maior necessidade? Do que os homens e as mulheres que vivem neste século mais necessitam? Ao redor do planeta, as pessoas buscam desesperadamente por esperança. Emil Brunner disse: "Como o oxigênio para os pulmões, assim é a esperança para o espírito humano."[1]

A esperança é uma tábua de salvação para nosso espírito. Ergue nossa visão daquilo que é para o que será. É uma vela em meio às trevas. Provê encorajamento para o futuro. A esperança é o elemento que levanta o espírito humano e nos faz prosseguir em meio aos desafios que enfrentamos.

O que é esperança? Como defini-la? Esperança é uma qualidade intangível que nos permite enxergar além das dificuldades da vida, vislumbrando um amanhã melhor. Leva a uma vida com propósito hoje porque sabemos que um novo dia está chegando. Aguarda com expectativa o melhor da vida, mesmo quando estamos enfrentando o pior. Vê além do que é, enxergando o que será. Continua a acreditar, confiar, antecipar e esperar que a luz do amanhã brilhará e dissipará a escuridão!

O escritor romano Plínio, o Velho, disse: "A esperança é a coluna que sustenta o mundo."[2] Ele estava certo. Sem esperança, o mundo está fadado ao desastre. Sem esperança, os alicerces da sociedade se encaminham para o colapso. Sem esperança, vivemos em desespero.

Li recentemente uma história que foi publicada em julho de 1991 em um pequeno livro motivacional chamado *Bits and Pieces* [Fragmentos e Pedaços]. A experiência do garotinho que foi hospitalizado após sofrer queimaduras graves ilustra o poder da esperança. O sistema educacional de uma grande cidade havia desenvolvido um programa para ajudar as crianças a dar continuidade a seus estudos caso precisassem passar muito tempo no hospital. Uma das professoras de educação especial que participava do programa recebeu uma ligação rotineira solicitando que visitasse a criança. Ela anotou o nome do menino e o número do quarto. Também conversou rapidamente com a professora regular do garoto.

– Estamos estudando substantivos e advérbios com a turma agora. Então ficarei grata se você conseguir ajudá-lo a entender essas classes gramaticais, para que ele não fique muito defasado.

A professora do programa hospitalar foi ver o menino naquela tarde. Ninguém lhe contou que o garoto sofrera queimaduras severas e sentia dor aguda. Desconcertada ao vê-lo, gaguejou enquanto dizia:

– Fui enviada por sua escola para ajudá-lo a aprender sobre substantivos e advérbios.

Quando foi embora, sentiu que não havia conseguido realizar muita coisa. No dia seguinte, uma enfermeira lhe perguntou:

– O que você fez com aquele menino?

A professora achou que tivesse feito algo errado e começou a pedir desculpas.

– Não, não – disse a enfermeira. – Acho que você não entendeu o que eu quis dizer. Estávamos preocupados com aquele garotinho, mas, desde ontem, toda a atitude dele mudou. Está lutando pela vida, reagindo ao tratamento. É como se tivesse decidido sobreviver.

Duas semanas depois, o garoto explicou que havia desistido completamente de ter esperança até a visita da professora. Mas tudo mudou com uma simples constatação. Ele a exprimiu da seguinte maneira: "Eles não mandariam uma professora ensinar sobre substantivos e advérbios para um menino que fosse morrer, não é mesmo?" Tudo o que aquele garoto gravemente queimado necessitava, acima de qualquer outra coisa, era de esperança. A esperança nos motiva poderosamente. Pinta o futuro em cores brilhantes, não em sombras obscuras.

Redescubra a esperança

Em um mundo que parece descontrolado, como podemos redescobrir a esperança? Em um mundo que parece tão incerto, como podemos ter esperança novamente? Em um mundo devastado por *tsunamis*, terremotos, tornados, furacões, pestes e pandemias, existe algo no qual basear nossa esperança?

A pandemia recente do coronavírus teve consequências catastróficas. Pessoas do mundo inteiro foram infectadas. Inúmeras morreram. A economia mundial foi abalada. Os índices de desemprego subiram vertiginosamente. Nossa vida mudou para sempre. Onde podemos encontrar esperança? Como podemos ver além de nossas provações presentes e enxergar um futuro mais brilhante?

Milhões encontram esperança, conforto e paz no conhecimento e relacionamento pessoal com Deus por meio do estudo de Sua Palavra. Descobriram um Deus que os ama mais do que poderiam imaginar e que os fortalece diante dos desafios de hoje e das provações de amanhã com coragem extraordinária. Ele é o Deus da esperança.

Em um momento de desespero, o salmista Davi declarou: "Pois Tu és a minha esperança, Senhor Deus" (Salmo 71:5). A esperança começou para Davi no mesmo lugar em que começa para todos nós. Começou com a crença de que há um Deus no Céu maior que seus problemas, maior que suas dificuldades e maior que qualquer desafio que se possa enfrentar. Sem conhecer o Deus que cuida de nós, entende nossa dor, cura nossas feridas e, um dia, derrotará todos os poderes do mal, somos deixados sem esperança para enfrentar sozinhos os desafios da vida. É esse reconhecimento da presença de Deus, de Seu amor incondicional e cuidado constante que enche nosso coração de esperança.

O livro da esperança

A Bíblia é um livro que transborda esperança. Suas histórias falam de pessoas como você e eu. Às vezes, eram fortes e realizavam feitos poderosos para Deus. Em outras ocasiões, eram fracas e falhavam miseravelmente. Em todos esses casos, porém, Deus estava presente, a fim de lhes dar esperança para enfrentar o amanhã. A palavra "esperança" é usada mais de 125 vezes na Bíblia. O apóstolo Paulo, que passou por muitas situações desafiadoras, a usou mais de 40 vezes. Ele foi surrado, apedrejado, preso e sofreu naufrágio. Mesmo assim, vivia cheio de esperança. Quando escreveu a seus amigos que moravam em Roma, declarou: "E o Deus da esperança encha vocês de toda alegria e paz na fé que vocês têm, para que sejam ricos de esperança no poder do Espírito Santo" (Romanos 15:13).

Ao depositar nossa esperança em Deus, que é maior do que qualquer problema, nosso coração transborda de "alegria e paz na fé". A certeza de que há um Deus que nos ama além do que somos capazes de entender nos enche de esperança. Não existe circunstância em nossa vida para a qual Deus não esteja preparado.

A esperança que não decepciona

Em Cristo existe esperança. Não há desafio maior do que a esperança em Deus. O Cristo que nos criou e Se importa conosco foi além e nos redimiu. Somos Dele duas vezes. Quando os seres que Ele criou com perfeição se rebelaram contra Sua vontade no jardim do Éden, o Amor encontrou uma saída.

Há esperança para a raça de Adão. Jesus é o "Cordeiro que foi morto desde a criação do mundo" (Apocalipse 13:8, NVI).

O plano divino de salvação ecoou por todo o Universo. O Filho de Deus, Jesus Cristo, deixou o Céu e veio para este planeta rebelde a fim de revelar o amor de Deus pelos mundos incontáveis e satisfazer a demanda por justiça. No ponto em que Adão falhou, Jesus teve êxito. Em Sua vida e morte, Ele revelou o amor do Pai. Cumpriu as demandas da lei e resistiu às tentações mais terríveis de Satanás. Levou a vida perfeita que deveríamos ter vivido e sofreu a morte que merecíamos. Sabemos que "o salário do pecado é a morte, mas o dom gratuito de Deus é a vida eterna em Cristo Jesus, nosso Senhor" (Romanos 6:23).

Graça, perdão e misericórdia fluem de Seu coração de amor infinito. Há esperança em Cristo. Nele temos a convicção de que nossos pecados não são grandes demais para ser perdoados. Temos esperança de que nossas tentações não são grandes demais para ser vencidas, de que nossos desafios não são grandes demais para ser superados e de que nosso amanhã será bem melhor que o presente.

Cristo nos oferece muito mais do que a garantia de estar conosco hoje. A esperança que Ele oferece enxerga além deste mundo e vislumbra o porvir. É a esperança de Sua breve volta. O apóstolo Paulo faz uma linda mescla entre a primeira vinda de Cristo para nos redimir e a segunda, para nos levar para casa.

Em uma carta encorajadora para seu jovem amigo Tito, o apóstolo declara que estava "aguardando a bendita esperança e a manifestação da glória do nosso grande Deus e Salvador Jesus Cristo. Ele deu a Si mesmo por nós, a fim de nos remir de toda a iniquidade e purificar, para Si mesmo, um povo exclusivamente Seu, dedicado à prática de boas obras" (Tito 2:13, 14).

Jesus veio a primeira vez para revelar o amor do Pai e conquistar o direito legal de nos redimir. E virá a segunda vez a fim de buscar aqueles que comprou com Seu sacrifício.

Essa é a esperança que transforma nossa vida. Um dia seremos libertos deste campo de concentração de pecado e sofrimento. Exclamaremos: "Ele chegou! Ele chegou!" A Bíblia está repleta com a melhor de todas as esperanças: a esperança do retorno de nosso Senhor. Em mais de 1.500 ocorrências, a Bíblia fala sobre a volta de Cristo. Ela é enfatizada em um a cada 25 versos do Novo Testamento.

Para cada profecia sobre a primeira vinda de Cristo no Antigo Testamento, existem oito destacando a segunda vinda de Cristo ou Seu retorno em glória. A seguir estão apenas alguns exemplos das promessas cheias de esperança encontradas na Bíblia inteira sobre o breve retorno de Cristo.

Predições seguras

A primeira predição do retorno de Cristo a este mundo foi feita por Enoque. Não há livro de Enoque na Bíblia, mas o pequeno livro de Judas, localizado logo antes de Apocalipse no Novo Testamento, cita esse patriarca. Enoque viveu pouco antes do grande dilúvio mundial. Deus levou esse homem justo para o Céu em vida quando ele tinha 365 anos de idade. Não deixe a idade de Enoque surpreendê-lo, pois, antes do dilúvio, muitos personagens da Bíblia viveram mais de 700 anos, e alguns, incluindo Adão e Matusalém, viveram mais de 900 anos.

Adão foi criado por Deus com enorme força vital, projetado para viver eternamente. Por isso, os 365 anos de Enoque estavam bem abaixo da média daquela época. Enoque é um modelo daqueles que subirão ao Céu quando Jesus voltar. Ele profetizou: "Eis que o Senhor vem com milhares de Seus santos" (Judas 14).

Mais de três mil anos antes da primeira vinda de Jesus, Enoque predisse que o Messias viria não como Servo sofredor para morrer por nossos pecados, mas também como o Rei conquistador que nos livrará deste mundo pecaminoso e eliminará todo mal.

O salmista Davi acrescenta algo a esse testemunho, ao declarar: "O nosso Deus vem e não guarda silêncio. À frente Dele vem um fogo devorador, e ao Seu redor ruge grande tormenta" (Salmo 50:3).

O profeta Isaías encoraja todos nós a ter esperança. Está chegando o dia em que Cristo voltará, e as forças do mal, que provocaram tanto desastre em nosso mundo, serão derrotadas para sempre. Em Isaías 35, o profeta declara: "Digam aos desalentados de coração: 'Sejam fortes, não tenham medo. Eis aí está o Deus de vocês. A vingança vem, a retribuição de Deus; Ele vem para salvar vocês'" (v. 4). Os profetas da Bíblia viviam com esperança, não com desespero. Enxergavam além dos desafios, das provações e das dificuldades que enfrentavam na vida, vislumbrando um amanhã novinho em folha. Com iluminação profética e visão divina adentravam o futuro. Tinham confiança absoluta de que Cristo voltará e que pecado, sofrimento, dor, lamento, doença e morte não mais existirão.

A maior promessa

Logo antes de subir ao Céu, Jesus garantiu a Seus seguidores: "Voltarei." O fato de que Jesus virá ao mundo pela segunda vez é uma realidade tão certa quanto Sua primeira vinda há 2 mil anos. A promessa do retorno de Cristo é reconfortante. O Salvador encorajou Seus discípulos com a promessa: "Não se turbe o vosso coração; credes em Deus, crede também em Mim. Na casa de Meu

Pai há muitas moradas. Se assim não fora, Eu vo-lo teria dito. Pois vou preparar-vos lugar. E, quando Eu for e vos preparar lugar, voltarei e vos receberei para Mim mesmo, para que, onde Eu estou, estejais vós também" (João 14:1-3, ARA).

As palavras consoladoras de Cristo são como uma nota promissória: Jesus disse que vai voltar. Podemos ter certeza disso! A segunda vinda de Jesus não é baseada em vãs especulações nem fundamentada em desejos improváveis ou filosofias humanas. Em vez disso, é alicerçada nas promessas imutáveis, confiáveis e certas da Palavra de Deus. A segunda vinda de Cristo revela a verdade tremenda de que toda a história se move rumo ao mesmo clímax glorioso. Temos um destino final. Encontraremos Aquele que tem a resposta definitiva para todos os problemas. Sem essa convicção, restam poucos motivos para viver.

As palavras de Jesus ecoam ao longo dos séculos: "Não se turbe o vosso coração." É como se Ele dissesse: "Pare de se preocupar. Não há necessidade de ficar ansioso. Apegue-se à Minha promessa. Confie em Minha palavra." "Credes em Deus, crede também em Mim. [...] Vou preparar-vos lugar. E [...] voltarei." A promessa do breve retorno de Cristo anima o coração e nos encoraja. Traz conforto a nossos dias e ilumina as noites. Torna cada montanha mais fácil de escalar.

Reflita em algumas expressões dessa passagem. Elas levarão ânimo a seu coração. Jesus diz: "Na casa de Meu Pai há muitas moradas." A palavra "morada" significa "lugar de habitação" ou "residência". O que Jesus está dizendo é: "Há espaço de sobra em Meu reino eterno. Não falta lugar. Há vaga para você também."

O apóstolo João ecoa essas palavras no último livro da Bíblia: "Depois destas coisas, vi, e eis grande multidão que ninguém podia contar, de todas as nações, tribos, povos e línguas" (Apocalipse 7:9).

O Céu tem espaço suficiente para todos. O sacrifício de Cristo é suficiente para todos. A cruz do Calvário provê redenção para todos que aceitarem. Jesus está dando a certeza a Seus discípulos de que existe espaço suficiente no Céu para cada um deles e que voltará a fim de levá-los para junto de Si.

O que significa o fato de Jesus estar preparando um lugar para nós? Sem dúvida, não quer dizer que Ele é um mestre de obras instruindo os anjos sobre como construir nossas mansões celestiais. Significa que Jesus subiu ao Céu e, na presença do Pai, recebeu a certeza de que Seu sacrifício foi aceito. Por isso, Ele abriu as portas do Céu para toda a humanidade.

Em meio ao grande conflito entre o bem e o mal no Universo, Jesus nos dá a certeza de que, por meio de Sua graça e por causa de Sua morte na cruz, podemos morar eternamente com Ele. Garante-nos que será nosso advogado de defesa no juízo final.

Em Daniel 7, vemos a descrição desse julgamento cósmico. São milhares de seres celestiais reunidos ao redor do trono de Deus. Os registros celestiais eternos são abertos para o Universo. Com interesse total, o Universo inteiro acompanha. O destino de toda a raça humana está sendo definido. Homens e mulheres se salvarão ou se perderão para sempre. Jesus dá um passo à frente no tribunal para declarar que todos aqueles que, com fé genuína, aceitaram Seu sacrifício e foram transformados por Sua graça são considerados aptos para entrar no Céu. O profeta Daniel deixa claro que aqueles que têm o nome escrito nos livros de Deus e foram aprovados receberão a posse do reino. Podemos nos encher de esperança porque Aquele que morreu e vive por nós voltará para nos buscar.

Testemunhas fiéis

Reflita na morte dos apóstolos. É comum a crença de que cada um deles sofreu a morte como mártir, com exceção de João. A Bíblia revela que, apesar disso, eles jamais perderam a esperança na volta de Jesus.

Tiago foi decapitado por Herodes. Cheio de esperança, ele escreveu: "Portanto, irmãos, sejam pacientes até a vinda do Senhor" (Tiago 5:7). O martírio não abateu seu espírito nem destruiu sua esperança.

Pedro foi crucificado de cabeça para baixo, provavelmente em 66 d.C. por ordem do sanguinário Nero. O apóstolo morreu com a esperança viva. Estas são suas palavras: "Nós, porém, segundo a promessa de Deus, esperamos novos céus e nova Terra, nos quais habita a justiça" (2 Pedro 3:13).

Paulo passou anos em um calabouço romano úmido. Depois, provavelmente tenha sido decapitado por volta da mesma época em que Pedro sofreu martírio, durante o governo de Nero, no ano 66 d.C. Porém, cheio de esperança e certeza, ele olhava para além do que era, vislumbrando o que será. Acreditava que Cristo havia vencido a sepultura e que, um dia, Jesus voltaria, conforme havia prometido, para livrá-lo das garras da morte.

Esse discípulo corajoso de Cristo se apegou às promessas da Palavra de Deus. Ele confiava que "o Senhor mesmo, dada a Sua palavra de ordem, ouvida a voz do arcanjo e ressoada a trombeta de Deus, descerá dos céus, e os mortos em Cristo ressuscitarão primeiro; depois, nós, os vivos, os que ficarmos, seremos arrebatados com eles, entre nuvens, para o encontro com o Senhor nos ares, e, assim, estaremos para sempre com o Senhor" (1 Tessalonicenses 4:16, 17). O apóstolo Paulo não morreu derrotado e abatido. A promessa do retorno de Cristo enchia seu coração. Por conta disso, ele viveu para deixar o mundo cheio de esperança.

Pense no apóstolo João. Ele foi lançado em um caldeirão de óleo fervente, mas sobreviveu, e, bem idoso, com mais de 90 anos de idade, foi exilado pelo imperador Domiciano na ilha de Patmos. Durante o exílio naquela ilha solitária, Jesus Cristo deu a João uma visão de Seu retorno. Ele escreveu sobre essa visão no último livro da Bíblia, o Apocalipse.

As palavras de João transbordam de esperança: "Eis que Ele vem com as nuvens, e todo olho O verá, até mesmo aqueles que O traspassaram. E todas as tribos da Terra se lamentarão por causa Dele. Certamente. Amém!" (Apocalipse 1:7).

A volta de Jesus, portanto, não será um acontecimento secreto. Todo olho verá Jesus quando Ele voltar: os olhos dos jovens e dos velhos; os olhos dos eruditos e dos incultos; os olhos dos ricos e dos pobres. Pessoas de todas as culturas, nacionalidades, línguas, grupos e países O verão regressar.

Tanto o primeiro quanto o último capítulo do Apocalipse ecoam a certeza do retorno de Cristo. Na última página da Bíblia, Jesus promete: "Eis que venho sem demora, e Comigo está a recompensa que tenho para dar a cada um segundo as suas obras" (Apocalipse 22:12).

Com exceção de João, todos os discípulos morreram como mártires, porém se alegraram em seus sofrimentos. Foram fiéis em meio a circunstâncias extraordinariamente desafiadoras. Estavam cheios de uma paz interior "que excede todo o entendimento" (Filipenses 4:7). Apegaram-se à Palavra de Cristo. Creram na promessa de Jesus: "Voltarei!" A mensagem dos anjos durante a ascensão de Cristo ecoava em seus ouvidos. "Depois de ter dito isso, Jesus foi elevado às alturas, à vista deles, e uma nuvem O encobriu dos seus olhos. E, estando eles com os olhos fixos no céu, enquanto Jesus subia, eis que dois homens vestidos de branco se puseram ao lado deles e lhes disseram: – Homens da Galileia, por que vocês estão olhando para as alturas? Esse Jesus que foi levado do meio de vocês para o Céu virá do modo como vocês O viram subir" (Atos 1:9-11).

Não perca de vista o fato de que, nessa ocasião, os anjos, mensageiros de Deus, confirmaram a promessa de Cristo e testificaram de que ela se cumprirá de modo literal: "Esse Jesus" não era um espírito fantasmagórico, mas tinha "carne" e "ossos", para usar as palavras do próprio Jesus (Lucas 24:39). Ele "virá do modo como O viram subir" ao Céu. A ascensão de Jesus foi um evento real e literal. Seu retorno será, mais uma vez, um evento absolutamente real e literal. Logo Ele virá a fim de nos levar para casa.

Cada desafio que você enfrenta e cada dificuldade que vivencia logo terminarão. Apegue-se à promessa da breve volta de Jesus, deixe seu coração repleto de esperança e paz. A Bíblia revela que existe esperança além da crise. Temos uma esperança tremenda que vibra em nosso ser: a esperança no retorno de nosso Senhor. E essa esperança basta para nos ajudar a superar todos os desafios da vida.

"Então aparecerá no céu o sinal do Filho do Homem. Todos os povos da terra se lamentarão e verão o Filho do Homem vindo sobre as nuvens do céu, com poder e grande glória. E Ele enviará os Seus anjos com grande som de trombeta, os quais reunirão os Seus escolhidos dos quatro ventos, de uma a outra extremidade dos céus" (Mateus 24:30, 31).

A Bíblia aponta o tempo inteiro para um amanhã melhor. E anuncia a promessa de que, um dia, Jesus Cristo voltará. O mal será destruído. A justiça reinará para sempre. O pecado, as doenças e o sofrimento não mais existirão. Enfermidades, desastres e mortes serão banidos. Maldade, guerra e preocupações desaparecerão. O apóstolo Paulo chama esse acontecimento glorioso de "a bendita esperança" (Tito 2:13).

Que esperança maravilhosa! Jesus voltará. A morte não terá a palavra final. A palavra final é de Cristo. Nossos amados que pereceram crendo e vivendo por Ele ressuscitarão do túmulo para vê-Lo face a face. Um dia, muito em breve, a esperança de todas as eras se cumprirá. Jesus Cristo voltará, e nós, que estivermos vivos durante esse evento espetacular e glorioso, subiremos para encontrá-Lo nos ares. Viajaremos com Ele pela jornada espacial mais extraordinária até o lugar mais incrível do Universo. Então viveremos com Ele por toda a eternidade.

Não precisamos nos preocupar quanto ao futuro. Não é necessário deixar o medo tomar conta do coração e sufocar nossa alegria. Cristo nos criou. Cristo nos redimiu. Cristo cuida de nós. Cristo nos sustenta. E Cristo virá outra vez a fim de nos levar para casa. Isso sim é motivo para ter esperança!

Referências

1 Emil Brunner, disponível em <https://www.quotes.net/quote/11359>, acesso em 1º de junho de 2020.

2 Plínio, o Velho, disponível em <https://www.brainyquote.com/quotes/pliny_the_elder_134956>, acesso em 1º de junho de 2020.

Para saber mais sobre o assunto deste capítulo, acesse este QR Code ou o link:
adv.st/esperanca-6

Você deseja saber mais sobre outros temas? Acesse agora:
adv.st/queroesperanca

7

Mantendo a saúde financeira

O mundo vivencia as consequências econômicas da pandemia da Covid-19. Em algum grau, cada um de nós experimenta os efeitos financeiros da crise. As milhares de mortes e milhões de enfermos já são terríveis, mas existem também as consequências adicionais significativas que a sociedade precisa enfrentar.

O impacto econômico da pandemia está atingindo muitas famílias com força total. Muitos dos desempregados durante a crise estão voltando ao trabalho, mas continuam a sofrer as consequências da perda de renda durante o período que passaram fora do mercado de trabalho e das dívidas que contraíram. O mercado de ações despencou durante a pandemia, e milhões perderam quase todo o dinheiro poupado ao longo da vida.

Toda a economia mundial está extremamente abalada, e nos perguntamos se a vida voltará a ser a mesma. O cenário econômico do futuro que se pode prever é sombrio. É possível que muitos dos estabelecimentos forçados a permanecer fechados por causa da quarentena jamais se recuperem.

Muitas pessoas vivem contando com o dinheiro do salário do mês, com pouca ou nenhuma reserva. Os resultados da pandemia do coronavírus as colocaram em um dilema financeiro. O índice de desemprego de vários países atingiu níveis recordes. A economia mundial está sentindo fortemente os efeitos da Covid-19. No Brasil, a diminuição da renda, o crescimento galopante do desemprego e as crises econômica, política e institucional, agravadas pela pandemia, ameaçam a nação.

Os pobres e desprivilegiados são os mais prejudicados. Por dependerem da renda de cada dia e não terem poupança, muitas vezes acabam sem condições até mesmo de prover o básico para o sustento da família. Os mercados internacionais têm passado por um grave declínio. Dezenas de países podem sofrer uma fome devastadora em consequência do coronavírus.

Como sobreviver financeiramente

Que impacto tudo isso terá sobre nossas finanças pessoais? Qual será o efeito sobre nossa família? O que esse abalo na sociedade causará sobre nossa saúde mental? Que consequências de longo prazo nossa saúde física pode sofrer? Acima de tudo, o que podemos fazer para sobreviver às consequências terríveis da Covid-19 e outras pandemias ou a qualquer catástrofe que nos assolar?

Esse não é o primeiro desastre que abalou nosso mundo e não será o último. Como permanecer fortes em meio a essas epidemias mundiais e desastres naturais que atingem o planeta com frequência cada vez maior?

Neste capítulo, vamos nos concentrar em quatro áreas específicas de sobrevivência: (1) como sobreviver financeiramente em tempos de crise; (2) como sua família e, em especial, seus filhos podem sobreviver; (3) como sobreviver fisicamente; (4) como sobreviver emocionalmente.

A procura da felicidade em coisas materiais nos leva a trilhar uma estrada que conduz a lugar nenhum. A tentativa de preencher nossa vida com recursos financeiros só nos deixa vazios. Existe mais na vida do que simplesmente ganhar dinheiro.

Nós nos ocupamos tanto comprando que deixamos de perceber os parafusos morais soltos em nossa sociedade. O alicerce está rachando. É bem possível que estejamos investindo nossos bens nos lugares errados.

A Bíblia apresenta princípios financeiros eternos que fazem sentido. Revela segredos de economia que a maior parte do mundo não conhece. Incentiva-nos a reavaliar nossas prioridades e buscar o que é eterno, em lugar do terreno. A Palavra de Deus nos leva a fazer investimentos que trarão rendimentos no longo prazo. Confira abaixo três princípios financeiros esboçados na Bíblia que o habilitarão a sobreviver a qualquer crise financeira.

1. Aceite a verdade eterna de que Deus é o Criador do mundo e Dono de tudo que o planeta contém.

Davi registra as palavras de Deus para ele em um momento de grande necessidade no Salmo 50. O Senhor o relembra de que Ele é o Criador e está no controle do mundo: "Pois são Meus todos os animais do bosque e o gado aos milhares sobre as montanhas. Conheço todas as aves dos montes, e são Meus todos os animais que vivem no campo. Se Eu tivesse fome, não teria necessidade de dizê-lo a você, pois Meu é o mundo e a sua plenitude" (Salmo 50:10-12).

Davi louva a Deus por Suas maravilhas ao dizer: "Que variedade, Senhor, nas Tuas obras! Fizeste todas elas com sabedoria; a terra está cheia das Tuas riquezas. Eis o mar vasto, imenso, no qual se movem seres sem conta, animais pequenos e grandes" (Salmo 104:24, 25).

O profeta Isaías acrescenta que o mundo é de Deus não só porque Ele o criou, mas também porque o redimiu: "Mas agora, assim diz o SENHOR, que o criou, ó Jacó, e que o formou, ó Israel: 'Não tenha medo, porque Eu o remi; Eu o chamei pelo seu nome; você é Meu'" (Isaías 43:1).

Ao criar este mundo, Deus o confiou a Adão. O Senhor concedeu domínio ao primeiro homem sobre toda a criação (veja Gênesis 1:26). Ao pecar, Adão abriu mão de seu direito de liderar o planeta. Lúcifer, o anjo caído, usurpou esse domínio e reivindicou para si a autoridade sobre a Terra. A Bíblia apresenta Lúcifer como "príncipe deste mundo", "príncipe do mundo" e "príncipe da potestade do ar" (veja João 12:31, NVI; 14:30; Efésios 2:2).

A vida sem pecado e a morte substitutiva de Cristo pagaram o preço completo do resgate pela queda humana. Na cruz, o destino de Satanás foi selado, sendo garantida a restauração do planeta Terra (veja Efésios 1:14; 1 Coríntios 6:19, 20; João 12:31, 32).

Deus é o verdadeiro dono do mundo, tanto pela criação quanto pela redenção. Tudo que temos é dom de Sua graça. Somos mordomos de bens a nós confiados por Deus. Pertencemos a Cristo. Ele nos criou e redimiu. O mundo é Dele. O Senhor criou todas as coisas. Além disso, para nos resgatar da usurpação do inimigo, derramou Seu sangue na cruz.

A compreensão do conceito de que Cristo nos criou e nos resgatou faz toda a diferença. Tudo o que temos não nos pertence. Moisés nos adverte: "Lembrem-se do SENHOR, seu Deus, porque é Ele quem lhes dá força para conseguir riquezas; para confirmar a Sua aliança, que, sob juramento, prometeu aos pais de vocês, como hoje se vê" (Deuteronômio 8:18).

Os talentos que temos para ganhar dinheiro vêm de Deus. A capacidade de trabalhar vem de Deus. Todo fôlego que temos vem de Deus. É Ele quem abre portas de oportunidade para sobrevivermos economicamente. Ele é nosso provedor, mantenedor e apoiador. Tudo que temos é dom de Sua graça. Tudo que temos é Dele porque Ele nos criou e redimiu. Somos mordomos de Seus bens; não proprietários. O apóstolo Paulo esclarece essa questão com as seguintes palavras: "O que se requer destes encarregados é que cada um deles seja encontrado fiel" (1 Coríntios 4:2).

Mordomo é alguém que administra a propriedade, as finanças ou outras áreas da vida de outro. Somos mordomos de Deus. Não possuímos este mundo nem nada que ele contém. Deus, o Criador, é o dono de todas as coisas. Porém, Ele colocou Adão, Eva e seus descendentes no controle de tudo ao lhes dar domínio sobre todas as criaturas e colocá-los "no jardim do Éden para cuidar dele e cultivá-lo" (Gênesis 1:28; 2:15).

Paulo nos ensina que, em nosso papel de mordomos, temos a obrigação de ser encontrados fiéis em tudo que administramos, inclusive nas finanças.

Jesus acrescenta: "Quem é fiel no pouco também é fiel no muito; e quem é injusto no pouco, também é injusto no muito" (Lucas 16:10).

Encontrei no devocional *Our Daily Bread* a seguinte história:

> Godfrey Davis, que escreveu a biografia do Duque de Wellington, disse: "Encontrei um antigo livro contábil que revelou como o duque gastava seu dinheiro. Foi uma pista bem melhor do que a leitura de suas cartas ou seus discursos sobre o que ele considerava realmente importante."
>
> A maneira como lidamos com o dinheiro revela muito sobre nossas prioridades. É por isso que Jesus costumava falar sobre dinheiro. Um sexto do conteúdo dos evangelhos, incluindo uma em cada três parábolas, toca no tema financeiro. Jesus não era um angariador de fundos. Ele lidou com o dinheiro porque o dinheiro importa. Para alguns de nós, porém, isso importa demais.[1]

2. Creia que o Deus que o criou e redimiu Se importa com você e vai sustentá-lo.

Em Filipenses 4:19, encontramos uma promessa maravilhosa: "E o meu Deus, segundo a Sua riqueza em glória, há de suprir, em Cristo Jesus, tudo aquilo de que vocês precisam." A todos os mordomos fiéis, Deus dá a certeza de suprir suas necessidades. As necessidades dos filhos de Deus já foram garantidas pelo banco do Céu. Jesus declarou: "Portanto, não se preocupem, dizendo: 'Que comeremos?' [...] ou 'Com que nos vestiremos?' [...] Mas busquem em primeiro lugar, o Reino de Deus e a Sua justiça, e todas estas coisas lhes serão acrescentadas" (Mateus 6:31, 33).

Uma pandemia não erradica as promessas de Deus. A Covid-19 não apagou a certeza da Palavra eterna de Deus. O coronavírus não precisa causar uma crise de confiança em nós sobre a habilidade divina de resolver nossos problemas e suprir nossas necessidades. Pelo contrário, essa situação pode nos levar a uma fé mais profunda e a uma confiança mais segura em Deus. Em meio a nossos maiores desafios, as promessas divinas continuam válidas.

Já vi essa realidade demonstrada de maneira poderosa em minha vida. Meu pai se tornou adventista do sétimo dia quando eu tinha 13 anos de idade. Por causa de seu compromisso com a guarda do sábado bíblico, ele perdeu o emprego. Além disso, papai tomou a decisão de ser fiel na devolução dos dízimos e das ofertas. A fim de prover o sustento para nossa família, ele precisou trabalhar muito e se desdobrar. A vida não era fácil, mas me lembro com frequência de ouvi-lo citar duas promessas da Bíblia.

Quando eu me perguntava como Deus proveria para nós, papai, com seu jeito calmo e confiante, citava primeiramente Mateus 6:33: "Mas busquem em primeiro lugar o Reino de Deus e a Sua justiça, e todas estas coisas lhes serão acrescentadas." E então arrematava com Filipenses 4:19: "E o meu Deus, segundo a Sua riqueza em glória, há de suprir, em Cristo Jesus, tudo aquilo de que vocês precisam."

A fidelidade e a confiança inabalável de meu pai em Deus davam à nossa família inteira a certeza de que, em nosso momento de provação, o Senhor seria fiel, e Ele de fato o foi. Podemos até não ter vivido com todos os luxos de algumas famílias, mas tínhamos algo muito mais valioso: um pai fiel a Deus. Isso nos deu a certeza de que podíamos confiar no Senhor com a totalidade de nossa vida.

Quando os momentos são difíceis e nossas finanças estão limitadas, confiar em Deus é um ato de fé. É dizer: "Senhor, eu creio que podes cuidar de mim. Coloco minha vida em Tuas mãos. Acredito em Tuas promessas."

A própria essência da vida cristã se resume em confiança. É confiar a Deus nossas finanças, saúde e a vida como um todo. É a certeza de que o Cristo vivo, que nos deu salvação mediante Sua graça e poder por intermédio do Espírito Santo, cumprirá Sua promessa de suprir nossas necessidades. É confiar Nele mesmo durante uma pandemia global que pode afetar nossa vida e a vida das pessoas que amamos.

Quando confiamos em Deus em meio a provas, damos a Ele a oportunidade de fazer por nós "infinitamente mais do que tudo o que pedimos ou pensamos" (Efésios 3:20). Isso abre a porta de nosso coração para receber Sua profusão de bênçãos. A fé permite que as riquezas do Céu fluam para nossa vida.

Em cada crise, Deus continua no controle. Uma pandemia terrivelmente devastadora não neutraliza Suas promessas. Ao viver com confiança, estamos seguros em Seu amor hoje, amanhã e sempre.

3. Escolha reordenar suas prioridades levando em conta a volta de Jesus.
A Bíblia faz algumas predições impressionantes sobre uma crise econômica durante os últimos dias da história da Terra. O maior tesouro que podemos ter é um relacionamento pessoal com Jesus Cristo, a Pérola de Grande Preço. Ele nos oferece alegria plena, paz interior e satisfação duradoura. Os prazeres passageiros do mundo logo acabarão. Quando a felicidade, o contentamento e a segurança que sentimos estão ligados a nossos bens materiais e a economia entra em colapso repentino, acabamos desanimados, abatidos e deprimidos. Mas, quando nossa fé está ancorada em Jesus e nos tesouros eternos de Sua Palavra, ficamos seguros. O apóstolo Tiago revela a desilusão e o desapontamento daqueles que fazem do dinheiro o seu deus:

> Escutem, agora, ricos! Chorem e lamentem, por causa das desgraças que virão sobre vocês. As suas riquezas apodreceram, e as

suas roupas foram comidas pelas traças. O seu ouro e a sua prata estão enferrujados, e essa ferrugem será testemunha contra vocês e há de devorar, como fogo, o corpo de vocês. Nestes tempos do fim, vocês ajuntaram tesouros. Eis que o salário dos trabalhadores que fizeram a colheita nos campos de vocês e que foi retido com fraude está clamando; e o clamor dos que fizeram a colheita chegou aos ouvidos do Senhor dos Exércitos. Vocês têm tido uma vida de luxo e de prazeres sobre a terra; têm engordado em dia de matança (Tiago 5:1-5).

O livro do Apocalipse descreve um colapso econômico que acontecerá pouco antes do retorno de Jesus. Aqueles que acham que o dinheiro é sua fonte de felicidade sofrerão um amargo desapontamento. Tudo que os motiva a viver se esvairá rapidamente. Seus sonhos serão esmagados. Em Apocalipse 18, é predito um colapso econômico súbito que vai abalar o mundo.

O texto diz que os mercadores da Terra chorarão, "à custa da sua riqueza, porque, em uma só hora, foi devastada" (v. 19). O poder do anticristo tentará unir a humanidade em torno de um dia falso de adoração. Na tentativa de instaurar paz e segurança mundiais, será instituída uma confederação de poderes religiosos, políticos e econômicos. Desastres naturais, colapso econômico, conflitos políticos e o caos social endurecerão os corações e tornarão o anticristo ainda mais determinado a cumprir seus propósitos.

Quando Deus fizer um apelo ao mundo inteiro para que se una a Seu povo verdadeiro, que guarda os mandamentos, essa união entre Igreja, Estado e poderes econômicos dirá: "'Estou sentada como rainha. Não sou viúva. Nunca saberei o que é pranto!' Por isso, em um só dia sobrevirão os seus flagelos: morte, pranto e fome; e será queimada no fogo, porque poderoso é o Senhor Deus que a julga" (v. 7, 8). O verso 19 acrescenta: "em uma só hora foi devastada!"

A grande confederação do mal persistirá em oposição a Deus e permanecerá cega em relação ao que estará prestes a acontecer. Os reis e mercadores – os interesses políticos e econômicos que se uniram ao sistema religioso apóstata – lamentarão sua queda. Eles haviam se unido a essa confederação religiosa e vivido luxuosamente enquanto exerciam seu poder sobre a Terra. Então cairão com ela e chorarão enquanto sofrem o castigo de Deus. Não lamentarão seus pecados nem a rebelião contra Deus. Lamentarão apenas as consequências dos pecados.

De repente, acontecerá um colapso econômico sem precedentes e, em uma hora, suas riquezas não valerão mais nada. Haviam depositado sua confiança no lugar errado. Confiaram nas riquezas e nos bens materiais, em lugar de depender das promessas de Deus. Isso nos leva a uma pergunta bastante prática. Como nossas famílias podem sobreviver a uma crise econômica?

Sua família pode sobreviver a tempos difíceis

Foi realizado um estudo em grande escala nos Estados Unidos com famílias de todo o país a respeito do impacto da crise do coronavírus intitulado "Retrato do Impacto da Crise da Covid sobre as Famílias Trabalhadoras". A pesquisa foi publicada no periódico *Econofact Network* em 30 de março de 2020. Nela propõe-se que "a disseminação do novo coronavírus causará um impacto profundo sobre muitas famílias norte-americanas". Podemos acrescentar que, embora o estudo diga respeito ao impacto sobre a vida familiar nos Estados Unidos, seus resultados serão replicados em países do mundo inteiro.

Em 25 de março de 2020, 21% dos indivíduos pesquisados relataram que haviam sido demitidos em caráter permanente, ao passo que outros 20% afirmaram ter sofrido dispensa temporária. A maioria dos pesquisados, 55%, contou que alguém da família tinha sido demitido. Dentre os que continuavam trabalhando na ocasião, 51% tiveram redução de carga horária. De acordo com o estudo, esses números são mais severos e aconteceram com maior rapidez do que durante a Grande Depressão, que começou em 1929.

A recessão econômica provocada pela pandemia da Covid-19 tem resultado numa onda alarmante de desemprego, e isso projeta uma série de perturbações na sociedade. Pessoas adoecem e morrem em resultado direto da crise financeira, a fome avança no mundo, o desenvolvimento e o futuro de muitas crianças ficam seriamente comprometidos, casamentos entram em colapso, além de uma série de outros distúrbios que atingem a sociedade.[2]

Mesmo com a pressão econômica extraordinária que as crises impõem sobre as famílias, os pais devem agir para manter a si mesmos e os filhos mentalmente sãos durante este período de instabilidade e imprevisibilidade. O diálogo e a paciência são fundamentais nesse processo.

Como sobreviver fisicamente

Quando nossas finanças estão em sérios problemas, podemos pagar também um preço em nossa saúde física. Uma pandemia terrível como a da Covid-19 traz consigo consequências graves mesmo depois de terminar. Os pesquisadores já demonstraram claramente a correlação entre saúde debilitada e diminuição da expectativa de vida por meses ou até anos após um grave surto de *influenza* ou alguma outra crise de saúde catastrófica. Também descobriram princípios básicos de saúde que nos capacitam a sobreviver nos momentos de crise.

A maioria das mortes durante essa pandemia acometeu pessoas com problemas de saúde preexistentes, como doença cardíaca, hipertensão, diabetes ou obesidade. Em termos simples, quanto mais forte for seu sistema imunológico, maior sua possibilidade de sobreviver a uma pandemia. Quanto melhor a sua saúde física quando chegar a crise, maior sua chance de sobreviver.

Em artigo publicado no *European Journal of Clinical Nutrition*, os autores declaram o seguinte sobre os cuidados dietéticos que devemos ter especialmente durante uma crise sanitária como a da Covid-19:

> Na esfera individual, o denominador comum que impulsiona a maior parte das recomendações alimentares e nutricionais ligadas ao combate de infecções virais, incluindo a Covid-19, diz respeito à ligação entre alimentação e imunidade. Aliás, existem evidências que destacam o efeito profundo da alimentação sobre o sistema imunológico do indivíduo e sua susceptibilidade a doenças.
>
> Logo, a responsabilidade de cada um durante a pandemia da Covid-19 está em se esforçar para optar por um estilo de vida saudável, que inclui uma alimentação com alto índice de frutas e verduras, exercícios físicos durante o tempo livre, manutenção de um peso saudável e sono adequado. Além de cuidar da ingestão diária de alimentos adequados, a responsabilidade coletiva dos indivíduos envolve evitar a disseminação de informações equivocadas relativas à nutrição e à Covid-19.

Com adaptações, compartilho as oito recomendações do artigo. Pense nelas como estratégias de sobrevivência durante qualquer crise de saúde.

1. Procure fazer refeições balanceadas.
2. Evite comer fora de hora.
3. Escolha alimentos ricos nas vitaminas A, C, E, B_6, B_{12}, zinco e ferro, tais como frutas cítricas, verduras folhosas verde-escuras, castanhas e laticínios.
4. Cultive um estilo de vida saudável e se exercite em casa.
5. Durma adequadamente.
6. Tenha pensamentos positivos.
7. Evite fumar, consumir álcool e drogas.
8. Não acredite em curas milagrosas falsas, sem respaldo científico. [3]

Ao fazermos escolhas positivas, nosso sistema imunológico será fortalecido, e nossa saúde, beneficiada. Nunca é tarde demais para começar a tomar as melhores decisões de saúde possíveis para nós e nossa família.

Como sobreviver emocionalmente

A preocupação e a ansiedade tomaram conta de milhões de pessoas. Elas estão com medo do coronavírus ou de alguma outra doença que surja em seguida. Ouviram sobre o aumento das mortes e ficaram ansiosas. Preocuparam-se com os filhos, netos ou pais idosos e muitos continuam sentindo-se assim. Ou quem sabe sintam medo do fator financeiro. Muitas pessoas pensam no que irão fazer se não conseguirem pagar o aluguel ou o financiamento da casa própria. Preocupam-se com uma empresa que fechou e ficam com medo de não ter mais emprego depois da pandemia. Para alguns, é ainda mais cruel: preocupam-se em como vão alimentar a própria família. Estão no limite diante de tanta incerteza quanto ao futuro. A resposta ao medo debilitante é a confiança no amor, no cuidado e nas provisões de Deus para nós.

A Palavra de Deus nos dá exemplos reais de crise que os filhos de Deus enfrentaram e como desenvolveram uma confiança mais profunda durante os períodos de prova. Essas histórias bíblicas revelam princípios eternos que desenvolvem a fé. Foram escritas em outro tempo e lugar, mas continuam a falar a nós aqui e agora. Foram escritas há séculos, mas se expressam com relevância no século 21 a um mundo devastado por uma pandemia mortal e avassaladora.

Segurança em tempos de crise

O reino de Judá enfrentou uma grave crise. Devastação e morte espreitavam à porta. A catástrofe parecia certa. O grande rei assírio Tiglate-Pileser III estava determinado a conquistar o Oriente Médio. Ele já havia dominado boa parte da Ásia ocidental. Uzias, rei de Judá, era a principal figura de resistência contra a opressão assíria. Uzias havia reinado por 52 anos (791-739 a.C.). Durante seu governo, a nação prosperou. Áreas desérticas foram reconquistadas. Os muros de Jerusalém foram fortificados. A nação expandiu seu território. A prosperidade de Judá acontecia, em grande parte, por causa da fidelidade de Uzias a Deus.

No entanto, em um ato de arrogância e presunção, ele tentou queimar incenso no templo (essa era uma atribuição exclusiva dos sacerdotes), foi imediatamente acometido de lepra e acabou morrendo. A nação ficou arrasada. Seu governante estava morto. A ruína parecia certa. Todas as esperanças de resistir ao exército aparentemente invencível da Assíria se esvaíram como uma sombra. Os habitantes da nação ficaram paralisados de medo. Um invasor inimigo estava se aproximando, e parecia que havia pouco que eles podiam fazer a esse respeito. Estavam desanimados e sem esperança.

Na época dessa catástrofe, Isaías escreveu: "No ano da morte do rei Uzias, eu vi o SENHOR assentado sobre um alto e sublime trono, e as abas de Suas vestes enchiam o templo" (Isaías 6:1). Em meio a uma crise, o trono do Céu não está vago. Deus garantiu a Seu povo que Ele continua no controle. Ele ainda é soberano. A crise não pega Deus de surpresa. Deus não nos deixa sozinhos em meio a nossas maiores provas.

A pandemia pode assolar, mas Deus continua assentado em Seu trono. Um inimigo invasor, o coronavírus, assolou a Terra, mas, nesses momentos difíceis, podemos aprender lições de confiança. Quando o medo sai de cena, abrindo lugar para a confiança, a paz inunda nossa vida. O profeta Isaías declarou uma promessa poderosa para o povo de Deus. Sua mensagem continua a ecoar pelos corredores do tempo: "Tu, SENHOR, conservarás em perfeita paz aquele cujo propósito é firme, porque ele confia em Ti. Confiem sempre no SENHOR" (Isaías 26:3, 4).

O segredo simples para sobreviver a qualquer crise que enfrentamos é a confiança de que o Criador do Universo e Redentor do mundo nos ama e cuida de nós, a despeito do que estejamos enfrentando ou venhamos a enfrentar.

Quando doenças assolarem nossa terra, quando nosso corpo estiver queimando de febre, quando a vida parecer cair aos pedaços, ainda assim podemos confiar. Podemos crer que, por intermédio do Espírito Santo, Deus está conosco. Ele nos fortalece, nos anima, nos apoia e nos dá esperança de um amanhã melhor. Por isso, podemos voltar nosso olhar para o dia em que doença, sofrimento e angústia não mais existirão.

Referências

[1] Haddon W. Robinson, "Money Matters", *Our Daily Bread*, 20 de maio, disponível em <https://odb.org/2005/05/20/money-matters/>, acesso em 1º de junho de 2020.

[2] Elizabeth O. Ananat e Anna Gassman-Pines, "Snapshot of the COVID Crisis Impact on Working Families", *EconoFact*, disponível em <https://econofact.org/snapshot-of-the-covid-crisis-impact-on-working-families>, acesso em 1º de junho de 2020.

[3] Farah Naja e Rena Hamadeh, "Nutrition amid the COVID-19 Pandemic: A Multi-level Framework for Action", *EJCN*, disponível em <https://www.nature.com/articles/s41430-020-0634-3>, acesso em 1º de junho de 2020.

Para saber mais sobre o assunto deste capítulo, acesse este QR Code ou o link: adv.st/esperanca-7

Você deseja saber mais sobre outros temas? Acesse agora: adv.st/queroesperanca

8

Onde encontrar segurança

Imagine dois jovens de vinte e poucos anos cortando lenha nos dias do antigo Israel há 3 mil anos. Vamos chamá-los de Eúde e Eli. Enquanto juntam lenha para o fogo, compartilham histórias, riem juntos e conversam sobre o futuro. Então acontece. Sem querer, Eúde, ao girar o machado com toda a força, erra ligeiramente o alvo. A cabeça do machado sai voando a toda velocidade e atinge a garganta de Eli. O rapaz sangra profusamente e há pouco que Eúde possa fazer para salvar a vida do amigo.

Embora tenha sido um acidente, Eúde reconhece que sua vida será tirada em seguida. O pai e os irmãos de Eli precisam se vingar da morte do ente querido tirando a vida de seu assassino, isto é, a menos que Eúde consiga chegar antes a uma das seis cidades de refúgio de Israel.

Não há tempo a perder. Eúde começa a correr e, à medida que ganha velocidade, corre cada vez mais depressa. Seus pulmões queimam. Ele ofega, quase sem ar. Suas pernas doem. Seu coração bate acelerado. Gotas de suor lhe descem pela testa. Ele se força a correr ainda mais rápido. A distância, houve o galopar de cavalos. Os pais e os irmãos de Eli estão em seu encalço. Ele sabe que, se não chegar logo à cidade de refúgio, sua vida terá fim. Cheio de culpa por seu descuido, tomado de preocupações e com muita ansiedade, ele se apressa.

Havia seis cidades de refúgio espalhadas por Israel. A maior distância que alguém poderia estar de uma das cidades de refúgio era um dia de viagem. Elas foram fundadas para servir como lugar seguro para pessoas que houvessem matado alguém por acidente. As estradas que conduziam a essas cidades eram conservadas em boas condições e havia placas apontando para elas: "Refúgio".

Lemos sobre essas cidades no livro de Josué, no Antigo Testamento: "São estas as cidades que foram designadas para todos os filhos de Israel e para os estrangeiros que moravam entre eles, para que nelas pudesse se refugiar todo aquele que, por engano, matasse uma pessoa, para que não morresse às mãos do vingador do sangue, até comparecer diante da congregação" (Josué 20:9).

Qualquer indivíduo que tivesse matado outro por acidente poderia fugir para uma cidade de refúgio, apresentar sua justificativa e encontrar proteção.

Ao comentar sobre essas cidades de refúgio, a autora do livro *Patriarcas e Profetas* afirma:

> Aquele que fugia para a cidade de refúgio não podia demorar. Família e ocupação ficavam para trás. Não havia tempo para dizer adeus aos queridos. Sua vida estava em jogo, e todos os outros interesses deviam ser submetidos a um único propósito: chegar ao lugar de segurança. O cansaço era esquecido, e as dificuldades, desprezadas. O fugitivo não ousava por um momento sequer diminuir o passo antes que estivesse dentro dos muros da cidade.[1]

Enquanto Eúde corria para a cidade, as portas foram escancaradas, e ele foi recebido com toda hospitalidade. Lá Eúde encontrou refúgio, segurança e paz. Que ilustração do refúgio que Cristo nos oferece! Perseguidos pela culpa, atacados pelo medo, assolados pela ansiedade e incomodados por preocupações, nós também podemos fugir para um lugar de refúgio: o santuário de Deus.

As cidades de refúgio eram acessíveis para todos. Deus havia criado um santuário de refúgio para o qual todos poderiam ir. Jesus, nosso Sumo Sacerdote, habita no santuário celestial, um lugar de refúgio e segurança. Pela fé, Ele nos convida a entrar para encontrar esperança, paz e libertação da ansiedade e calma.

Convite irrecusável

Eventos climáticos catastróficos podem abalar a Terra. Guerras, conflitos internacionais e civis têm potencial de assolar nações inteiras. Terremotos podem devastar cidades, inundações podem destruir comunidades, pestes podem arruinar plantações, e o coronavírus pode se espalhar pelo mundo velozmente, matando centenas de milhares. Há ocasiões em que nosso coração treme de medo. Ansiamos por segurança. Queremos um lugar seguro. Queremos ser abrigados das tempestades da vida. Quando parece não haver mais lugar de esconderijo, Jesus nos convida a tirar os olhos dos traumas da Terra e encontrar forças no santuário celestial, Sua cidade de refúgio.

Ao escrever o livro de Hebreus, o apóstolo Paulo nos encoraja com estas palavras:

> Tendo, pois, Jesus, o Filho de Deus, como grande Sumo Sacerdote que adentrou os céus, conservemos firmes a nossa confissão. Porque não temos Sumo Sacerdote que não possa Se compadecer das nossas fraquezas, pelo contrário, Ele foi tentado em todas as coisas, à nossa

semelhança, mas sem pecado. Portanto, aproximemo-nos do trono da graça com confiança, a fim de recebermos misericórdia e encontrarmos graça para ajuda em momento oportuno (Hebreus 4:14-16).

Jesus, Aquele que morreu por nós, também vive por nós. Ele passou por todas as provas, tentações e traumas que enfrentamos, mas em grau infinitamente maior. Não há nada em nossa experiência humana que Ele não entenda ou nunca tenha sofrido.

Por isso, Cristo nos convida a entrar em Sua presença pela fé no santuário celestial a fim de encontrarmos "graça para ajuda em momento oportuno". Você está passando por um momento de necessidade? Anseia por um lugar seguro, um local de refúgio e segurança? Jesus o convida a se refugiar.

Acesso imediato

A mensagem central do ministério sumo sacerdotal de Jesus no santuário celestial é que, por intermédio Dele, temos acesso ao Pai. Temos esse privilégio por causa de Jesus Cristo, que intercede por nós. Não existe experiência que enfrentamos na vida que nosso Sumo Sacerdote celestial já não tenha passado e não compreenda. Nosso Sumo Sacerdote nos entende. Ele Se identifica conosco. Nosso Sumo Sacerdote venceu por nós. Ele nos perdoa, nos liberta e nos dá poder. O apóstolo acrescenta: "Por isso, também pode salvar totalmente os que por Ele se aproximam de Deus, vivendo sempre para interceder por eles" (Hebreus 7:25).

As Escrituras revelam que cada um de nós tem uma cidade de refúgio:

> Por isso, Deus, quando quis mostrar com mais clareza aos Seus herdeiros da promessa que o Seu propósito era imutável, confirmou-o com um juramento. Ele fez isso para que, mediante duas coisas imutáveis, nas quais é impossível que Deus minta, nós, que já corremos para o refúgio, tenhamos forte alento, para tomar posse da esperança que nos foi proposta. Temos esta esperança por âncora da alma, segura e firme e que entra no santuário que fica atrás do véu, onde Jesus, como precursor, entrou por nós, tendo-Se tornado Sumo Sacerdote para sempre, segundo a ordem de Melquisedeque (Hebreus 6:17-20).

Pela fé, entramos com Jesus, nosso Sumo Sacerdote celestial, no santuário celestial. Essas palavras continuam a ecoar por todas as eras, comunicando esperança ao nosso coração. Pela fé, podemos planar rumo à eternidade. Pela fé, podemos habitar nos lugares celestiais com Cristo. Pela fé, podemos encontrar um lugar de refúgio e segurança no santuário de Deus. Vá embora, culpa! Desapareça, medo! Saia daqui, ansiedade! Evapore, preocupação! Estou cercado por Seu amor, cativado por Sua presença e ancorado pela fé em Seu santuário. Em Cristo, há segurança. Em Cristo, existe refúgio. Em Cristo, habitamos em lugares celestiais (veja Efésios 1:3). Por intermédio de Cristo, temos acesso ao amor, à graça e ao poder de nosso Pai celestial. Por intermédio de Cristo, entramos na presença do Pai pela fé no santuário celestial e achamos refúgio. Em todos os desafios da vida, podemos contar com estas promessas: "Deus é nosso refúgio e a nossa fortaleza" (Deuteronômio 33:27, NVI). "Deus é o nosso refúgio e fortaleza, socorro bem presente nas tribulações" (Salmo 46:1). "Para muitos sou motivo de espanto, mas Tu és o meu forte refúgio" (Salmo 71:7).

O menino e o soldado

Durante a Guerra Civil Americana, um jovem soldado no exército da União perdeu o irmão mais velho e o pai na Batalha de Gettysburg. Decidiu então ir a Washington, DC, encontrar o presidente Lincoln e pedir dispensa do serviço militar a fim de voltar para casa e ajudar a mãe e a irmã no plantio da primavera na fazenda. Quando chegou a Washington, depois de receber permissão de seus superiores para reivindicar sua solicitação, ele foi à Casa Branca, aproximou-se do portão e pediu para ver o presidente.

O guarda de plantão lhe disse:

– Você não pode ver o presidente, jovem! Não sabe que estamos em guerra? Ele é um homem muito ocupado! Agora vá embora, filho! Volte para a batalha, que é seu lugar!

Então o jovem soldado virou as costas muito desanimado e se assentou no banco de um parque que ficava perto da Casa Branca. Naquele momento, um garotinho o abordou.

– Soldado, você parece triste. Qual é o problema?

O soldado olhou para o menino e abriu o coração. Contou sobre a morte do pai e do irmão na guerra. Mencionou também a situação desesperadora de seu lar. Explicou que a mãe e a irmã não tinham ninguém que lhes ajudasse na fazenda. O garoto escutou e respondeu:

– Eu posso ajudar, soldado.

Pegou o jovem combatente pela mão e o conduziu de volta ao portão de frente da Casa Branca. O guarda pareceu não notá-los, pois não os deteve. Seguiram caminho e passaram direto pela porta de entrada da Casa Branca. Lá dentro, depararam-se com generais e oficiais de alta patente, mas nenhum deles lhes disse uma palavra. O soldado não conseguia entender. Por que ninguém tentou pará-los?

Finalmente, chegaram ao Salão Oval, onde o presidente estava trabalhando, e o garoto nem sequer bateu à porta. Simplesmente passou pela porta e levou o soldado consigo. Atrás da escrivaninha estava Abraham Lincoln e seu secretário de Estado, analisando os planos de batalha que estavam em cima da mesa.

O presidente olhou para o menino e para o soldado. Então disse:

– Boa tarde, Tad. Pode me apresentar seu amigo?

E Tad Lincoln, o filho do presidente, disse:

– Papai, este soldado precisa conversar com você.

O soldado apresentou sua situação a Lincoln e imediatamente recebeu a dispensa que desejava. Tad Lincoln, o filho do presidente, não precisou implorar nem suplicar para ver o pai. Não precisou bater à porta. Entrou direto, e seu pai ficou feliz em vê-lo. Jesus tem acesso imediato a Seu Pai. Ele nos conduz pela mão e nos leva diretamente à presença de Deus.

Ao olhar para Jesus, estamos seguros. Na vida cristã, faz toda diferença para onde olhamos. Se nos concentrarmos no passado, muitas vezes seremos tomados pela sensação de fracasso. Se olharmos para nosso coração, ficaremos sobrecarregados diante da própria inadequação. Se nos preocuparmos em excesso com o futuro, podemos acabar envoltos em preocupações. Olhando para Jesus no santuário celestial, descobrimos nossa verdadeira sensação de paz. Pela fé, descansamos em Seu amor na cidade celestial de refúgio. Em Seus braços, estamos seguros agora e para sempre.

Sábado: um refúgio tranquilo

Além do santuário celestial, no qual entramos, pela fé em Jesus, para encontrar um lugar de refúgio e segurança neste mundo despedaçado, nosso Pai celestial criou um lugar de segurança e refúgio na Terra. O autor judeu Abraham Heschel chama o sábado de "palácio de Deus no tempo" ou "templo no tempo".[2] Toda semana, Deus nos convida a experimentar descanso e encontrar refúgio mesmo neste mundo frenético e descontrolado. Podemos deixar de lado as preocupações da vida quando entramos no descanso sabático divino.

Na criação, milênios antes da existência dos judeus, Deus separou o sétimo dia, o sábado. Gênesis, o primeiro livro da Bíblia, diz: "E, havendo Deus terminado no sétimo dia a Sua obra, que tinha feito, descansou nesse dia de toda a obra que tinha feito. E Deus abençoou o sétimo dia e o santificou; porque nele descansou de toda a obra que, como Criador, tinha feito" (Gênesis 2:2, 3).

No livro de Êxodo, a Palavra de Deus nos conta que Deus "não trabalhou e descansou" no sétimo dia, ao final da semana da criação (Êxodo 31:17, NVI). Quando entramos no descanso divino do sábado, conforme ordena Êxodo 20:8 a 11, também ficamos revigorados. O sábado é um oásis no tempo, um lugar de calma, paz e segurança em um mundo selvagem e desgovernado.

O sábado é eterno. Ele vai desde o jardim do Éden, na criação, até o jardim no qual Deus transformará este planeta no fim dos tempos. Estende-se do paraíso perdido ao paraíso restaurado. Necessitamos desse tipo de "para sempre" em nossa vida. Precisamos de um lugar que nos dê a certeza de que estamos em um relacionamento eterno com o Pai celestial. Precisamos desse "templo no tempo", no qual nossas certezas ganhem profundidade, um lugar que nos garanta que o Pai celestial sempre está a nosso lado, disposto a nos ajudar.

No sábado, encontramos a oportunidade de termos um repouso repleto de contentamento. É tempo de refletir, meditar nos propósitos da vida, entrar em contato com nosso Criador. No sábado, nos conectamos com nossas raízes como filhos de Deus. Podemos crescer e amadurecer a partir daí. Necessitamos desse tipo de lugar perene que conecte o todo de nossa vida a um relacionamento eterno com Deus.

O sábado nos lembra de que não somos apenas pele em volta de ossos. Não somos um acidente genético. Nós não somos fruto da evolução das espécies. O sábado nos lembra de que não estamos sozinhos em uma grande bola de cinza a girar pelo espaço a quase 110 mil quilômetros por hora em uma jornada rumo a lugar nenhum. O sábado é um lembrete semanal de que fomos criados por Deus e podemos descansar sob Seus cuidados.

O sábado nos chama para entrar no descanso celestial. Convida-nos a experimentar uma prévia do Céu hoje. Chama-nos a um relacionamento com nosso Criador que perdurará por toda a eternidade. O sábado é, na verdade, uma prévia da eternidade. Ainda há muito mais por vir, mas o sábado que temos é como se fosse a primeira parcela.

Seria possível que, em meio a tantas ocupações de uma vida tão cheia de ansiedade e consumida pelo estresse, tenhamos perdido de vista uma das maiores bênçãos de Deus? Ele estaria nos chamando a algo mais profundo, amplo, alto e largo do que já vivenciamos? Será que Deus deseja que enxerguemos uma nova profundidade de significado no sábado?

Entrar no verdadeiro descanso sabático não significa, de maneira nenhuma, cumprir uma obrigação legalista do Antigo Testamento. O descanso no sábado é símbolo de nosso descanso em Cristo.

Quando Jesus derramou voluntariamente Sua vida na cruz, sofreu a morte que nós merecemos. Ele entregou Sua vida como substituto perfeito para nossa vida pecaminosa. O sábado não é um símbolo de legalismo. Em vez disso, trata-se de um lembrete eterno de que descansamos em Deus para receber salvação.

O Carpinteiro de Nazaré construiu uma morada especial para nós. Podemos encontrar refúgio no dia santo. Nesse lugar/tempo, permanecemos seguros. No sábado, a obra se completa. Foi consumada nesse dia. Podemos ter a certeza de que, em Cristo, somos aceitos por nosso amoroso Pai celestial.

Quando descansamos no sábado, repousamos no amoroso cuidado de Deus. Descansamos em Sua justiça. O descanso sabático é símbolo de uma experiência de fé em Jesus. É uma ilustração vívida de nossa confiança Nele.

Trabalhamos a semana inteira, mas, no sétimo dia, descansamos. Deixamos nossas obras para descansar por completo em Cristo. Em Jesus, encontramos um lugar ao qual pertencer. Não precisamos nos esgotar estressados em busca da própria salvação. Nossa vida não necessita ser cheia de culpa, temor e ansiedade. O sábado revela uma atitude tranquila de dependência total do Cristo que nos criou e redimiu. A salvação vem somente por intermédio de Jesus. Nós não a merecemos. Não a conquistamos. Apenas descansamos e a recebemos pela fé.

Há mais um motivo pelo qual Deus nos concedeu o sábado. Esse dia mostra que é o Senhor quem nos santifica. Como? Foi isso que Deus fez com o sétimo dia. O sábado era apenas mais uma parcela de tempo, assim como qualquer outro dia. Mas, ao fim da semana da criação, Deus o separou e o santificou. Por meio do sábado, Deus nos diz: "É isso que Eu desejo para você também. Quero separá-lo como Meu filho especial. Quero derramar Minha vida em você. Quero santificá-lo e partilhar de Minha santidade com você."

O sábado nos lembra de como desenvolvemos nosso caráter em relacionamento com nosso Pai celestial e com Jesus Cristo. O sábado é uma promessa viva contínua da capacidade divina de nos ajudar a crescer em meio a todos os altos e baixos, tragédias e triunfos de nossa vida.

Necessitamos desse tempo distintivo com o Pai celestial. Precisamos de qualidade de tempo no sábado com o Deus que nos santifica e nos ajuda a continuar crescendo. O sábado continua no ciclo semanal desde a criação até agora. O sábado começou no jardim do Éden e será celebrado quando a Terra for renovada após a segunda vinda de Cristo. É a base de toda a adoração.

No último livro da Bíblia, João afirma: "Tu és digno, Senhor e Deus nosso, de receber a glória, a honra e o poder, porque criaste todas as coisas e por Tua vontade elas vieram a existir e foram criadas" (Apocalipse 4:11). Existimos pela vontade de Deus. Não somos um agrupamento aleatório de moléculas ou uma disposição de células ao acaso. A adoração no sábado é um testemunho glorioso do amor de nosso Deus Criador, que nos concedeu o dom da vida.

O profeta Isaías fala sobre o momento em que Deus criará "os novos céus e a nova Terra". Ele afirma: "'De uma Festa da Lua Nova à outra e de um sábado a outro, toda a humanidade virá adorar diante de Mim', diz o Senhor" (Isaías 66:22, 23). Na nova Terra, vivenciaremos, todos os sábados, a alegria da adoração com o Universo inteiro. Pai, Filho e Espírito Santo nos conduzirão em uma sinfonia de louvor na cidade de refúgio da nova Jerusalém. Lá estaremos seguros para todo o sempre.

Refúgio supremo

Deus pode nos incentivar de formas extraordinárias quando passamos por provas. O apóstolo João foi exilado na ilha rochosa e estéril de Patmos, na costa da Grécia. Imagine a solidão que ele sentiu! Foi separado de seus familiares, amigos, irmãos e irmãs na fé. A solidão com frequência leva ao desânimo.

Entretanto, João não estava sozinho. Dia após dia, ele passava tempo com Jesus em oração e meditação. Até que, certo dia, a glória de Deus o inundou. O anjo do Senhor desceu do Céu e revelou o futuro em símbolos extraordinários de imagens proféticas.

João anotou as visões que o anjo lhe deu para que pudéssemos lê-las hoje. Elas estão no último livro da Bíblia, o Apocalipse. Essas revelações proféticas mostram que Deus está no controle do destino deste planeta. O clímax do livro do Apocalipse é a cidade santa, a nova Jerusalém, descendo do Céu para a Terra.

No íntimo do coração, ansiamos por segurança. Almejamos um mundo melhor, no qual a dor e o sofrimento não mais existam. A nova Jerusalém é nosso refúgio final de segurança. É a cidade de refúgio eterna de Deus. Lá, na presença de Jesus, estaremos seguros para sempre.

Ao escrever sobre essa cidade, o apóstolo João disse:

> E vi novo céu e nova Terra, pois o primeiro céu e a primeira Terra passaram, e o mar já não existe. Vi também a cidade santa, a nova Jerusalém, que descia do Céu, da parte de Deus, preparada como uma noiva enfeitada para o seu marido. Então ouvi uma voz forte que vinha do trono e dizia: – Eis o tabernáculo de Deus com os seres humanos. Deus habitará com eles. Eles serão povos de Deus, e Deus estará com eles e será o Deus deles. E lhes enxugará dos olhos toda lágrima. E já não existirá mais morte, já não haverá luto, nem pranto, nem dor, porque as primeiras coisas passaram (Apocalipse 21:1-4).

O apóstolo viu o ato final no grande conflito entre o bem e o mal. A perversidade, o mal e o pecado enfim serão completamente destruídos. A cidade santa, a nova Jerusalém, descerá do Céu. O planeta Terra, tão assolado por conflitos, contendas, guerras, desastres naturais, crime e doença, se tornará novo mais uma vez. A Terra será recriada com seu esplendor edênico. Este planeta em rebelião será o centro do mundo novo de Deus. O tabernáculo do Senhor, a morada do próprio Deus, ficará na Terra renovada. Deus habitará com Seu povo. O amor reinará. A alegria encherá nosso coração. Doença, desastre e morte acabarão para sempre.

Um dia, a maldade sairá de cena e será substituída pela retidão. A guerra se renderá à paz. As doenças serão erradicadas, e nosso corpo terá saúde plena. O mal será derrotado, e a bondade reinará. A pobreza abrirá caminho para a fartura. O diabo será definitivamente destruído. Todos reconhecerão Jesus como Senhor dos senhores e Rei dos reis. Embora o mal pareça tão forte, a maldade, tão grande, e o pecado, tão poderoso, a Testemunha Fiel e Verdadeira, o Cristo ressurreto, o governante sobre os reis da Terra, o verdadeiro Rei dos reis, voltará, e nós viveremos com Ele para todo o sempre, pelos séculos dos séculos.

Nossa atitude deve ser semelhante à de George MacDonald, um grande pregador e escritor escocês. Conta-se que certo dia ele estava conversando com o filho sobre o Céu e as profecias e ouviu do rapaz: "'Parece bom demais para ser verdade' [...]. Um sorriso brilhou no rosto barbudo de MacDonald. 'Não', replicou, 'é tão bom que deve ser verdade!'"[2]

O velho pregador estava certo. Nenhuma mente humana seria capaz de inventar um fim tão glorioso para o conflito entre o bem e o mal. As alegrias do Céu ultrapassam em muito nossa compreensão. Nosso Pai celestial preparou algo para nós que satisfará cada necessidade de nosso coração. Acima de tudo, estaremos contentes porque viveremos com Jesus por toda a eternidade.

O amor incondicional de Cristo continuará a encontrar novas maneiras de proporcionar alegria a nosso coração e nos fazer felizes. No mundo renovado, descobriremos que Deus encontra Sua maior alegria em fazer Seus filhos felizes.

Você gostaria de sentir alegria inexprimível, felicidade sem medida, paz além da compreensão humana e um amor divino que transborda de seu coração para as pessoas à sua volta? Gostaria de ter saúde plena, energia ilimitada e vitalidade interminável? Gostaria de desenvolver cada talento, explorar mundos incontáveis, viajar para vastas civilizações que jamais sucumbiram ao pecado e descobrir continuamente novos mistérios do Universo? Gostaria de fazer amizade com os maiores intelectos que já viveram e desenvolver relacionamentos profundos e duradouros?

O Céu não é bom demais para ser verdade. Ele é bom demais para não ser verdade! Tudo isso é para você. O Céu é seu lar. Que tal abrir o coração para o Cristo vivo e entregar toda sua vida a Ele? Aceite Seu amor. Receba Seu perdão. Peça-Lhe poder para viver uma nova vida e se alegre por ser um filho de Deus. Tomando uma decisão ao lado da verdade da Palavra de Deus, você estará seguro no amor do Pai e será preparado para viver eternamente na nova Jerusalém.

Referências

[1] Ellen G. White, *Patriarcas e Profetas* (Tatuí, SP: Casa Publicadora Brasileira, 2014), p. 517.

[2] Ver Abraham Joshua Heschel, *O Schabat* (São Paulo: Perspectiva, 2012), p. 22.

[3] Philip Yancey, *Decepcionado com Deus* (São Paulo: Mundo Cristão, 2004), p. 97.

Para saber mais sobre o assunto deste capítulo, acesse este QR Code ou o link: adv.st/esperanca-8

Você deseja saber mais sobre outros temas? Acesse agora: adv.st/queroesperanca

um
novo tempo
pra você

TV | RÁDIO | GRAVADORA | WEB | JORNALISMO

ntplay.com

Conheça mais
sobre a gente
novotempo.com

Assista à nossa TV e tenha
acesso a conteúdos exclusivos
ntplay.com

Estude a Bíblia conosco!

Acesse: **biblia.com.br**

Estude também pelo WhatsApp!
novotempo.com/estudobiblico